※ 이 책은 웹툰 「악역의 엔딩은 죽음뿐」 121화~140화의 편집본입니다.

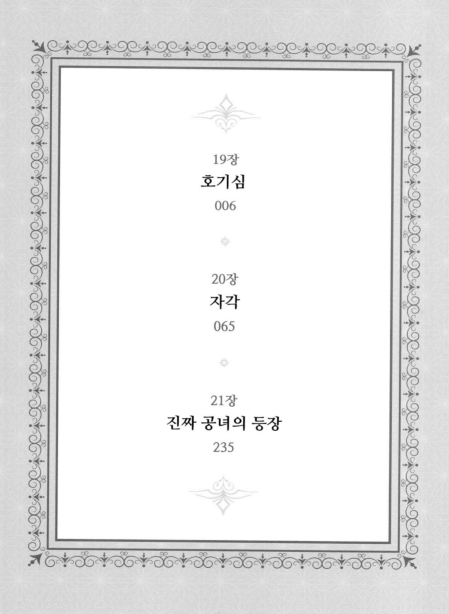

19장

호기심

말도… 안 돼.
내가
잘못 봤을…

하지만
다른 누구도 아닌
내가 착각할 리 없어.

저 모습은,
분명히
노멀 모드의—

공녀!

저,
전하…

뭘 그렇게
멍하니 서 있어?
우리도 빨리
빠져나가야
해!

하…하지만,
지금 저기에….

……없어졌어.

숨이
안 쉬어져.

살고 싶은데,
누군가 목을 조르듯
가슴이 답답해.

살려…
줘…!

쿡, 쿨럭, 콜록!

공녀!

…전…하.

살아서 다행이야.

공작가에 대체 뭐라 공녀의 부고를 전해야 할지 고민 중이었거든.

……

그렇구나.
하긴 마력도 체력도
동이 났겠지.

저 조그만 몸으로,
하루 종일 터무니없는
일들을 겪―

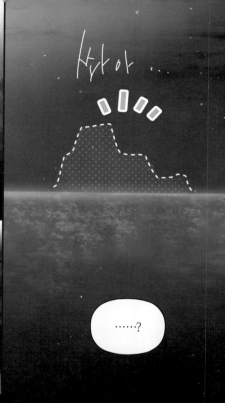

솨아...

......?

참, 레일라 신국
놈들은요?
놈들의 근거지는
어떻게…

저기.

까딱

수평선밖에
안 보이는데요…?

짜작

짜작

축하해, 공녀.
그대가 기어이
섬 하나를
부숴 먹었어.

…네?

짜작

지하 동굴이
무너져서 그런지,
여기로 이동되고
얼마 지나지 않아
섬 전체가 가라앉았다.

짜작

나 참

살다 살다
섬 하나가 통째로
수장되는 꼴은
처음 보는군.

그,
그럼…

돌아가면 그대에게
상을 내려야겠어.
제국에 해악을 끼치던
잔당을 소탕한 공을
인정해서 말이야.

전부터 신국 놈들한테
도가 튼 모양인데
아예 기사 작위를
내리는 게 좋을 것 같아.
어떻게 생각하지?

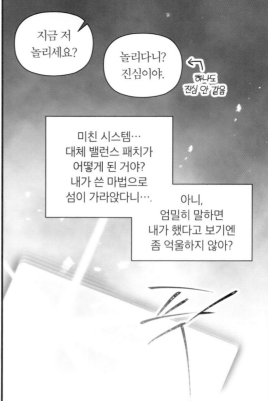

지금 저
놀리세요?

놀리다니?
진심이야.

하나도
진심 안 같음

미친 시스템…
대체 밸런스 패치가
어떻게 된 거야?
내가 쓴 마법으로
섬이 가라앉다니…

아니,
엄밀히 말하면
내가 했다고 보기엔
좀 억울하지 않아?

◆ SYSTEM ◆

메인 에피소드 ~사라진 아이들의 행방~
{ 악의 세력으로부터 아이들을 구하라 }
퀘스트 성공!
보상 획득 : ◆고대 마법 거울의 조각
◆모든 공략대상 호감도 ▲5%
◆명성 ▲50 (TOTAL : 560)

하….

허탈

거울 조각….

그 흰색 로브…
노멀 모드의
진짜 공녀와
외양이 똑같았어.

분홍색 머리와
새파란 눈….

…아닐 거야.
그냥 비슷한
사람이겠지.

천사 같은 주인공이
어떻게 레일라인지
뭔지 하는
악의 축일 리가 있어?

섬뜩

어디 아픈가?
뭘 그리 심각하게
생각에 잠겨 있어?

전하. 혹시…
흰색 로브의 얼굴을
보셨어요?

칼리스토는
못 봤구나.

아니.
동굴이 무너지게 생겼는데
그놈 얼굴이나 보고 앉을
시간이 어디 있나?

왜 이런 걸로
이렇게
안심이 되지….

…죄송해요,
전하.

뭐? 갑자기
웬 뜬구름 잡는
사과야?

전에
말씀하셨잖아요.

황제가 될 자는
무결해야 하니까.

무결한 상태에서
즉위하셔야 하는데,

제가 쓴 마법 탓에
제국의 영토가
사라져 버려서…
곤란해지시는 거
아닌가요?

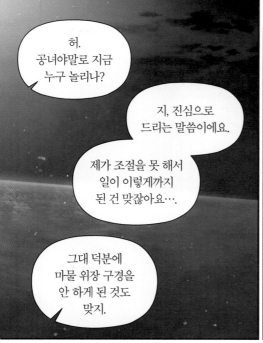

허.
공녀야말로 지금
누구 놀리나?

지, 진심으로
드리는 말씀이에요.

제가 조절을 못 해서
일이 이렇게까지
된 건 맞잖아요….

그대 덕분에
마물 위장 구경을
안 하게 된 것도
맞지.

저 근거지를
그대로 뒀다가
또 사람이나 납치하고
개짓거리를 할지
어찌 아나? 지금 한꺼번에
가라앉혀 버린 게
차라리 잘된 일이야.

…그게
다인가요?

또 뭐가.

제가 이런
사달까지 냈는데도,
정말 아무런 의심도
안 하세요?

(불편)

그놈의 의심 타령
좀 그만할 수 없나?
사람이 왜 이렇게
삐뚤어졌어?

저승한테
저런 말을 듣다니

그, 그래도
제가 어떻게
그런 강력한 마법을
쓸 수 있었는지도
전하는—

그대도
모르잖아.

——저런 말이

동굴에서 했던 말을
또 반복하게 하는군.
알았으면 그대가 그리 당황한
얼굴로 넋 나가 있었겠어?
나도 눈이 있다고,
공녀.　　　그냥
아무 말도 하지 마.
내가 직접 본 대로 알아서
판단할 테니까.

듣고
싶었었나 봐.

정
고마우면

입이라도
맞춰 주든지.

뭐…
뭐라고요?

왜, 그런 거 있잖아.
구해 준 영웅에게
보답으로
입 맞춰 주는 거.

정확히 말하자면
제가 전하를
구해 드린 거죠?!

그럼 내가
그대에게 입 맞춰
주면 되겠군.

거절합니다.

아주 매정하기가 짝이 없어.

뭐, 됐어. 이미… …는 했으니까.

…지금 무슨 말씀하셨나요?

아무것도.

…? 들어 보나 마나 헛소리였겠지.

그런데, 이제 우리 여기서 어떻게 빠져나가죠?

저 꼬맹이가 기절하기 전에 그 악령 썬 마법사에게 신호를 보냈다고 했어.

그러니 그놈이 곧 오겠지.

…….

응?
어디서 진동하는
소리가···.

아.

잠시만,
공녀.

···?

수정구?

전하!!
대체 어디
계신 겁니까!!

?!

어? 잠깐.
어디서 들어 본
목소린데.

작전 회의
중에 갑자기
뛰쳐나가시면
어떡합니까!

마법사들은
대체 왜 협박을
하시고…!

공녀, 미안한데,
난 먼저 가 봐야
할 것 같아.

네?
돌아갈 수
있으세요?

황족들은 위급 시
황궁으로 소환할 수 있는
마법이 걸려 있거든.

전하,
발밑에
마법진이…!

이런.
연락이 닿았다고
세드릭 포터 그 망할 놈이
벌써 발동시켰군.

세드릭이라면…

황성에서 봤던
그 안경… 아니,
칼리스토의 보좌관?

이렇게
갑작스럽게
헤어지다니―

저,
전하!

팔에 입으신
그 상처,
꼭 치료하세요.

마물 이빨에
독이 있을지 모르니까
가자마자 확인부터
하시고요!

모처럼
예쁜 소리를
하는군.

날 구해 준
영웅에게 바치는
키스야, 공녀.

지,
지금.

무슨….

조만간
또 보자고.

......,

...이,

이,
이게 무슨

미친…!!

망할 놈!
괜히
걱정해 줬어.

사라지기 전에
정강이라도
까 줬어야
하는데!

가슴이
미친 듯이 쿵쾅거려.
얼굴이 터질 것 같아.

기분 나빠서
이런 걸 거야.

아니면
너무 놀라서?
모르겠어.

이런
격렬한 감정들이
다 뭔지

모든 게
너무 생소해….

후….

지, 지금 막 나타난 것 같으니까 아까 그 장면은 못 봤겠지?

스승님!

라온, 다친 데는 없니.

네… 죄송해요.

페넬로페가 절벽 아래로 가지 말라고 했는데, 같이 있던 애들을 말릴 새가 없었어요.

스승님이 페넬로페 말 잘 들으라고 하셨는데… 아무것도 못 해서 죄송해요.

아. 그렇게 된 거였구나.

괜찮아, 라온. 네가 무사해서 다행이구나.

변명처럼 들리시겠지만
아까는 저도
경황이 없었습니다,
레이디.

날 시험하기 위해
오늘 사건까지 벌인 건
아니었다는 말은…
진실이었어.

레이디께서는
어디 다친 데
없으십니까?

난 괜찮아.
그대는…

…….

…라온.

여기서 혼자
상단까지 먼저
돌아가 있을 수
있겠니?

...알겠어요.
음,

페넬로페...
잘 가요.

응.

다음에
기회가 되면
또 만나자,
라온.

ㅡ.

오디라 또내서

......

왜 먼저
보냈어?

피차 오래
얘기할 만한
상태도 아니잖아.

서로 치료와
휴식이 필요해.
특히 그대가.

신발은
고마웠어.

마법 신발이라 그런지,
더러워지지도
젖지도 않은 건
편리하네.

……가지고
계십시오,
레이디.

저택 안까지
모셔다
드리겠습니다.

뭐? 왜?
헤밀튼 스트릿까지만
데려다주면―

밤이 너무
깊었습니다.
귀족가의 영애가
혼자 다닐 시간이
아닙니다.

그리고 레이디께서
외출하신 사실을
공작가가 알고 있다면,
지금쯤 헤밀튼 스트릿에
찾는 자들이 있겠지요.

설마.
비밀로 하라고
에밀리에게 그렇게
신신당부했는데.

아냐, 눈치 빠른
펜넬 영감이라면
어쩌면 정말로….

저로 인해 늦은 것이니,
제가 방까지 무사히
모셔다드리도록
부디 허락해 주십시오.

이전처럼 기사들이
저택 주변이라도 돌고 있다면,
개구멍으로 몰래 들어가기도
글렀겠네.

그나마 하루를
꼬박 넘기진 않아서
다행인가….

…그럼,
부탁 좀 하지.

이게 무슨...
페넬로페
아가씨?!

에밀리.

에,
에그머니나!!

대, 대체 왜
이제야 오신 거예요!
저 가면 쓰신 분은...
정보상 아니세요?!

아이고
드레스는
또 어쩌다

쉿. 별일 없었니?
혹시, 나 몰래 나간 거
들킨 거야?

그게… 집사장님이 지금 사람을 풀어서 아가씨를 찾고 계세요.

저녁에 갑자기 찾아오시기에, 아프시다고 둘러댔는데도 급한 용무가 있다고 그러셔서…

난처한데….

역시 펜넬한테 걸렸구나.

그, 그래도 금방 오실 거라고 사정사정해서 공작님께 알리는 건 간신히 막았어요!

뷘터의 예상이 맞았네. 하필이면 그 촉새 같은 공작 바라기한테….

아직은 공작이 모르더라도, 펜넬이 일러바치는 건 시간문제겠지.

일을 복잡하게 만들 순 없어.

이봐, 의뢰를 좀 하고 싶은데.

예? 어떤…

공작저에 속한 모든 인간들의 기억을 조작해 줘.

오늘 내가 외출한 적 없는 것으로.

헉.

……

…저 하녀분도
포함입니까?

응.

아,
아가씨?!

미안, 에밀리.
완전범죄를 위해서는
어쩔 수 없어.

나는 여전히
공작저 안의 그 누구도
완전히 믿지 않거든.

아가씨!
어떻게
저마저도…!

…서서?번 삶,

─됐겠어!

…어디 큰일 나는 건 아니지?

깊은 잠에 빠졌을 뿐입니다. 기억을 지우는 마법의 부작용이지요.

깨어난 뒤엔 기억을 잃은 것 말고는 이상 없을 테니 걱정 마십시오.

쿠다다닥

41

이성적으로 생각하면
뷘터의 의심은
정당한 것이었지.

뷘터는…
보지
못했겠지.

오랫동안
레일라족과
대적해 온 데다,

시스템에 의해 움직이는
내 행동만큼 수상한 것도
없었을 테니까.

정황상 뷘터는 이미
'진짜 공녀'와 만난 게
틀림없어.

내가
잘못 봤다고
믿고 싶어.

하지만 만약에…
아주 만약에,

그러나 그가 아는 이본은
어디까지나
봉사 활동을 다니는
선량하고 가난한
평민의 모습이었을 터.

이본이 정말로
사람들을 납치하고
마법사들을 없애려는
악한 무리의
중축이라면?

뷘터를 속이고
그를 이용해서

무슨 짓을
벌일지―

그대,
혹시―

…?

만약 이 불길한
상상이 사실이더라도
이본이 등장하는 건
페넬로페의 성인식 이후.

내가
탈출하고 난 뒤는…
내 알 바 아니야.

아니…
꺼진 의심에
괜히 불을 지필
필요는 없지.

―아무것도
아니야.
그보다…

쩔레

계약은 그냥
유지하도록 해.

…!

어째서…

뭐, 이미
진행한 계약을
파기하는 것도
웃기고.

그대의 능력을
신뢰하지 않는 건
아니니까.

이제 와서
뷘터만큼 유능하고
입 무거운 상단을
새로 구하기도 귀찮은걸.

…레이디,
그 말씀은—

하지만
공적인 부분 외에
더 엮일 일이
없었으면 해.

그대가 내건
계약 조건에 더는
오늘처럼 어울려 줄 수
없을 것 같아.

44

당신에게 관심이 생겨서 그렇습니다.

당신이 어떤 사람인지, 어떤 사고와 가치관을 가지고 있는지.

제 호기심을 채우기 위해 몇 번의 만남을 의무 사항으로 삼고 싶습니다.

……레이디.

그대가 뭘 의심하고, 뭘 걱정하는지 알겠어.

그대가 어깨에 어떤 대의를 짊어지고 있는지도.

그간 평판도 소문도 별로였던 공녀가 마법까지 쓰는데, 그대 입장에서 수상하지 않을 수가 있었겠어?

하지만 관심 같은 헛소리로 사람을 기만하지는 말았어야지.

고통과
후회의
눈빛.

…기만이
아니었습니다.

레이디께
관심이 있다는 말은,
오로지 의심과 확인을
위해서만은 아니었습니다.

의심하기만 해서
그런 것이…
아니었습니다.

그 말이
무슨 뜻이든,
네 처지는
안쓰럽게 생각해.

탄압받는 세상 속에서
외롭고 힘겨운 싸움을
이어 가야만 하는
네 설정을.

그러나 이해와
내 기분은 별개야.

레이디.

뭐,
더 의심해도
상관없어.

의심도, 관심도,
모두 그대 혼자
알아서 해.

그대의 대의에
더 이상 나를
이용하지 말란
소리야.

고마워요,
후작님.

——레이디,

한 번만
더

제게—

한 번만.

이제
그만 돌아가.
그리고,

…아.

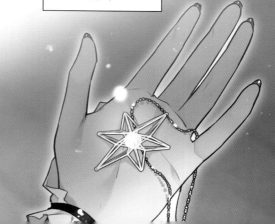

망할.
목걸이를
깜빡했어.

어차피
이본에게 돌아갈 거,
신발이랑 같이
줘 버렸어야
하는데….

지금 기분 같아선
탈출할 때까지 뷘터와는
직접 만나고 싶지 않은데.

─어느새
게임 보상으로
얻은 물건들도
이만큼 쌓였구나.

고대 유물을
함부로 내돌릴 수도 없고,
결국 한 번쯤은 다시
만나야 된다는 거잖아.

짜증 나….

뭔가 잡동사니만
주렁주렁
늘어나는 것 같아서,
기분 좀 묘하네….

……

한편,
조금 전 황궁

안녕하십니까.

제 이름은
세드릭 포터.

고귀한
이오카 제국의 황태자,
칼리스토 레굴루스 전하의
하나뿐인 보좌관이지요.

가장 존경하는 분은
물론 전장에서
동고동락하며 모셔 온
저의 하나뿐인 주군.

그리고
지금 당장
하고 싶은 일은…

그 상 미친놈의
모가지를 조르는
일입니다.

'여어'?!
지금 '여어'라고
하셨습니까?!

여어.

뭐야, 방금까지
평온해 보이더니.

사람 속을
이렇게
끓여 두시고

이 양반이
진짜...!!

오늘 있었던
군사 회의 때까지만
해도 평온했죠!

최근 그 험난한
아르키나 제도로 숨어든
신국 잔당들 때문에
매일 같이 골머리를 앓다가,

전하께서 입수하신
고대 지도 덕분에
드디어 대책이
좀 보이려던 차에—

…? 전하, 지도 위의 그 붉은 반점은 뭡니까?

아르키나 제도 쪽의… 어떤 섬처럼 보이는데요?

깜빡 깜빡

깜빡

쑤욱

저, 전하?! 회의 중에 어딜 가십니까―?!

그렇게 미친놈처럼 뛰쳐나가 놓고 이제야 돌아오시다니!!

지금껏 솔레일 섬에 계셨다니, 대체 뭘 하다 오신 겁니까? 왼팔은 또 어쩌다 다치셨고요!

벌써 마법사들을 족친 건가?

족은 전하께서 치셨겠죠.

회의 도중 뛰쳐나가신 전하 덕분에 참모진들이 아직도 퇴궁을 하지 못해 원성이 자자합니다.

그 부상이라도 변명거리로 써야겠으니, 무슨 일을 저지르고 오셨는지 귀띔이라도 주시죠.

통역 : 네가 싼 거 내가 치우는 중이니 상황 설명이나 해 봐라

마법사들이 말하더군요. 갑자기 전하께서 달려오셔서는,

'당장 솔레일로 이동시켜 주지 않으면 들고 있는 지팡이를 꼬리로 만들어 주겠다' 하셨다고.

뭘 하긴, 놈들을 소탕하고 왔다.

그래요, 소탕을… …예?

저, 전하, 혈혈단신으로요?

아니.

예비 황태자비와 함께했다.

예비…?
아, 네.

드디어 스트레스성 난청이 왔나 보다.

우리 예상이 맞았다. 놈들 또한 트리탄을 오가는 게 쉽지 않았던 거지. 그래서 근처의 섬에 은거지로 어마어마한 땅굴을 파 두었더군.

그게 솔레일 섬이었단 말씀입니까?

그럼, 작전을 수정해서, 먼저 솔레일에 군대를 파견하는 게…

그럴 필요 없어. 놈들은 당분간 잠잠할 테니까.

예? 그걸 어떻게….

…….

삐식

갑자기요? 저 양반이 드디어 미쳤구나.

공녀가 그 지하 굴을 다 때려 부쉈어. 덕분에 솔레일 전체가 아예 바다 밑으로 가라앉아 버렸지.

주치의

놀랍게도 정상이십니다만 불길한 웃음 등 이상 징후를 눈여겨 보십시오

공녀… 공…
에카르트 공녀님과
함께 계셨다고요?

잠시만요,
그럼…

지도의
그 붉은 점이…
공녀님의 위치였던
겁니까?!

이봐, 이 지도를
오직 공녀밖에
사용할 수 없게끔
마법을 새겨 놔.

고대 발타의
유물을 복제했다가
무슨 일이 생길지
알 수 없으니까.

그러한 마법을 새기려면,
주인 되실 분의
피 또는 신체 일부가
필요합니다만….

머리카락이면
되나?

황태자 전하,
마법을 새기는 것은
성공적으로 마쳤으나
작은 문제가 있습니다.

뭐지?

고대 지도가
에카르트 공녀님을
주인으로 인식하면서,

복제된 지도에까지
그 속성을 공유하는
모양이라….

그땐 그 얘기가
정확히 무슨 얘긴지
몰랐는데 말이야….

그 말씀은…
그러니까
즉…

…전하, 그거
범죄 아닙니까?

어허, 범죄라니.
어디까지나
예기치 못했던
실수지.

공녀님도
아시는
실수인가요?

요즘 자네 일이
좀 한가했지?

으.

시킨 대로
나랑 공녀 사이에
무슨 소문이
도는지 확인하고
전달만 해.

제가 듣기로는
지난번 사냥 대회 때
분명

......

전하께서
이별을 통보받으신
것으…로…

남의 연애사에
왈가왈부할
생각 말고, 맡은
소임만 다하라고.
알겠나?

싸야야

......

으, 으! 네.
알겠습니다….

흠.

처음엔
놀리는 것에
지나지 않았다.

빤히 보이는
거짓말을 해 놓고,

그것을 만회하기 위해
진땀을 빼는 꼴이
퍽 우습고 재밌었다.

과연 어떤
대답을 할까,

종종 떠올리면서
다시 만날 날을
고대하다 보니
빌어먹을 수도 생활도
꽤 괜찮았다.

사냥 대회 때
엘렌 후작 그 노망난
영감탱이한테
한 방 먹었어도,

내가 스토킹을 한다는
웃기지도 않는
소문이 돌아도

누가 봐도
분장한 얼굴로
하찮게 연기할 땐
귀엽기도 했지.

화가 나기는커녕
끝끝내 꺼지지 않고
커져만 가는
이 호기심이

스스로도
신기했다.

소문대로 그저
멍청하고 오만한
평민 출신 나부랭이일 줄
알았는데,

늘상 내 눈치를 보면서도
그 조막만 한 입술로
꼬박꼬박 말대꾸를 하니까.

그래서
나도 모르게―

아.
…….

…전하, 아까부터
입술은 왜 그렇게
만지작거리십니까?
그쪽도 다치신 겁니까?

통역 : 왜 애꿎은
입술은 만지면서
실실 쪼개나.

…이성이라.

수년을
피와 살이 터지는
전쟁터에서 구르면서

감흥도 욕구도
모두 죽고,
증오와 살심만
남았다고 생각했는데,

지금
이 순간

내 머릿속엔 온통
그대밖에 없어.

마지막으로 본
공녀의 얼굴.

내가 입을 맞추니
토끼처럼
눈을 동그랗게 뜨고
입술을 뻐끔거리던 게,

빛 속에 드러난
그 얼굴은

좀…….

…예뻤지.

중얼

예?

그런 게
있어.

평생 연애 한번
해 본 적 없는 자넨
어차피 모르는
일이다.

누, 누,
누가 해 본 적
없답니까!

하하하.

20장

자각

그게 무슨 소리야?

이클리스가 검술 수업에서 돌아오지 않았다니?

간밤에
귀환한 마차에
이클리스가 타고 있지
않았습니다.

훈련이 고된지
평소에도 복귀가
늦긴 했습니다만…

어젯밤 급히
보고드리려 했는데,
이 늙은이가
노망이 들었는지 그만
잠들고 말았습니다.

정말
죄송합니다,
아가씨.

뷘터의
기억 조작 마법에
걸린 거구나.

허를 찔렸어.
어젯밤 펜넬이 날 찾던 이유가
이클리스 관련이었을 줄은!

마부는?
같이 갔으니 뭔가
알 거 아냐.

물어보니
시간을 한참 넘겨도
그가 오지
않았답니다.

검술 스승인 스펜 경은
평소와 다름없게
훈련을 마쳤다
하였고요.

그럼…

생각할 수 있는
최악의 가능성.

도망.

설마,
처음부터 이럴 목적으로
내게 스승을
구해 달라고 했나?

검을 배운다는 명분 아래
공작저 밖으로
탈출하기 위해,
나를 이용해서?

아가씨,
송구스러운
말씀이지만…

노예가 차고 있는
모든 구속구에는
위치 추적 마법이
새겨집니다.

!

그러니
가문의 마법사를
부르는 건
어떠신지….

…아니,
아니야.

아직
속단하기는
일러.

초커를
풀어 주겠다 해도
제 입으로
거절하던 애야.

목줄을 달고
도망칠 만큼 이클리스는
무모하고 멍청하지
않을 거야….

일단…
조금 더 기다려
보도록 해.

하오나
그 근방은 치안이
좋지 않습니다,
혹시 무슨 변이라도
당했다면…

괜찮아.
그냥 제 발로
돌아오길 기다려.

드르륵

그리고…
첫째 오라버니껜
아직 비밀로 해 줘.

아가씨.

부탁할게,
펜넬.

괜히 일 크게
만드는 거 싫어.

그 애는
반드시 곧
돌아올 거야.

무슨 사정이
있을 거야.

설령 그게
아니더라도 당장은
믿는 수밖에 없어.

이클리스는
내 목숨줄이야.
괜한 의심은
호감도에 악영향을
끼칠지도 몰라.

지금쯤
90%는
넘겼을 터.

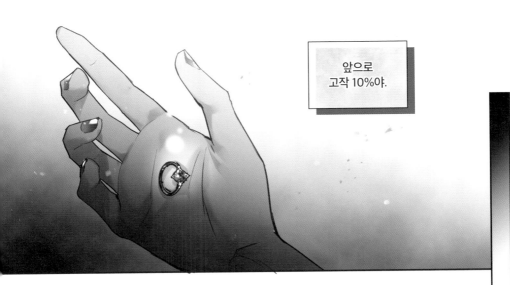

앞으로
고작 10%야.

......

──더는
못 기다려.

에밀리,
가서 집사장을
불러와.

앗, 네!
아가씨.

그리고
가문 마법사들을
부르러 갈 테니
채비를─

아가씨,
펜넬입니다.

이클리스가
돌아왔습니다.

...주,

어디
갔다 왔니?

......주인님.

대답해.
왜 말도 없이
사라졌어?

걱정…
하셨어요?

걱정?

너 같으면 그것들을
'걱정' 한마디로
뭉뚱그릴 수 있어?

내가 우습니?

말 안 해도
사다 바치고,
해 달라는 대로
다 해 주니까

이제 고작 3주면
'진짜 공녀'가
돌아올 거라는 사실.

그런 마당에
내 목숨줄이 날 두고
튀었을지 모른다는
두려움, 초조함, 숨막힘.

머리 꼭대기에
앉아도 휘둘려 줄 것
같은 머저리로 보여?

……

너 하나를 위해,
내가 그동안,

공작저 놈들한테
얼마나 비굴하게
목숨 걸어가며―

…내가 어디까지
네 방자한 태도를
참아 줘야 하는지
모르겠구나.

…죄송해요,
주인님.

잠깐…
사고가
있었어요.

무슨 사고.

동향인들을
만났어요

동향인들?
그 말은…

제가 살던 집에서
일해 주던 안면 있는
고용인이었어요.

마을 근경의 농장에서
다른 델만인들과 함께
노역하고 있었어요.

저처럼
노예로 팔려간
델만 출신
사람들이요.

이것도
하드 모드 스토리 중
일부인 건가…?!

사람들이
죽어 나가는 동안
아무도 마물을 죽이려
나서지 않았어요.

거기서
검을 가진 사람은
저밖에 없었어요,

주인님.

일하는
노예들밖에 없는
빈민가라고

제국에서는
지원을 보내 줄
낌새조차 없었어요.

찡긋..

……

…마물을 처치한 뒤엔 왜 곧바로 돌아오지 않았니?

음…

……사람들이 많이 다쳤어요.

그런 와중에도 델만인들은 다친 제국 빈민들까지 살펴 주고 있었고요.

상처에 바를 약 하나 없는 열악한 곳이라, 하다못해 치료에 쓸 풀떼기나 장작들이라도 모아다 주는 수밖에 없었어요.

제가 해 줄 수 있는 일이

그것밖에 없었어요….

……

그만
비정상적으로
흥분했어.

이클리스가
도망갔을지도 모른다고
생각했더니….

…이클리스,
잘 들어.

설령 그런 일이
일어났더라도, 너는
내게 돌아와서 보고하고
도움을 청했어야 맞아.

…주인님.

넌 지금 제국에서
검을 쓸 수 없는 신분이야.
그런 널 책임지는 건 나고.

하지만,

……

누군가
검을 쓰는 널 봤니?
노예들을 관리하는
감시인이라도
있었을 거 아냐.

네가
다치지 않아서
다행이야.

…감시는 따로 없어요.
노예들 구속구엔
위치를 추적하고
제압할 수 있는 마법이
걸려 있으니까,

일하도록 풀어 놓고
일정한 때가 되면
수확한 작물만
걷으러 온댔어요.

…그렇구나.

앞으로
이런 일이 생기면
마부를 통해서라도
내게 곧장 연락해,
이클리스.

네가 돌아오지 않았다는 소릴 듣고 내가 얼마나 놀랐겠니.

무슨 일이 생겼나, 오라버니께 알려야 하나, 몇 시간을 할 일도 못 하고 걱정한 줄 알아?

실은, 그러실까 봐 마물을 죽이자마자 한 번 돌아갔었는데… 마부가 금세 떠난 후였어요.

……

펜넬 말로는 한참을 기다리다 왔다더니.

화… 나셨어요?

아니. 제대로 신경 쓰지 못한 내 잘못이지.

마부는 자르고 새로 붙여 줄게. 그리고 앞으로는,

네 훈련이 끝나기까지 한 시간 정도 여유를 두라고 일러두겠어.

온전한 자유 시간이야. 그 안에 해야 할 일들을 하렴.

……!

사실상 그 시간만큼은 델만인들을 도와도 좋다는 파격적인 허락.

데릭에게 들킨다면 나도 처벌을 감수해야겠지.

주인님,
그 말씀은…

하지만
거기까지야.

패전국 노예인 네가
정식으로 검을
배우는 걸 들킨다면
네 동향인들까지
무사하지 못해.

그러니
그 이상은 안 돼,
이클리스.

…….

이제
저도…

주인님께
쓸모 있는 사람이
되었어요?

…응?

왜 갑자기
그런 질문을
하니?

쓸모가 없거나,
문제를 일으키면

경매장으로
돌려보내신다고….

…아.

그러니 지불한 돈이 아깝지 않도록 네 가치를 증명해야 할 거야.

쓸모도 없는 사람을 에카르트 공작가에 두겠다고 우길 순 없잖니.

이제 그 말은 잊어,

이클리스.

너는 내게, 아주 중요한 사람이야.

…주인님.

그렇지 않으면 내가 왜…

이만큼이나 너를 신경 쓰겠니.

SYSTEM

<이클리스>의 호감도 확인하겠습니까?

10,000,000 코드

200 ㅌ

94%

─앞으로 6%.

드디어

정상이
보인다.

......

검기를 뿜어내는
단계엔 이르렀지만,
아직도 칼끝에 모이기
전에 자꾸 흩어져.

어제도 수업 중에
집중을 못 해서
스승에게 혼났지….

다시 하자.

검 끝에 신경을
집중해야 돼.
집중….

—이클리스.

어째서 항상

그 사람이
기다려질까.

나의
하나뿐인 주인.

웃음이 없고,
냉정하고 차가우며

그러면서도
외롭고 고독한 사람.

그 누구에게도,
자신이 사 온
노예에게조차도
마음을 내주지 않지.

알고 있어.
주인이 비싼 값에
날 사 와 돌보는 데에는
어떤 목적이 있다는 거.

그리고 입으로는
매번 걱정했다 속삭여도,
날 바라보는 눈은
단 한 번도 온기를
띤 적이 없다는 걸.

쓸모를 입증하라며
경매장에서 날
사들일 때까지만 해도
그녀를 증오했다.

그녀뿐만이 아닌,
모든 제국인을
증오했다.

고분고분 발을 핥는
개처럼 굴다가
기회가 오면

멍청한
계집.

1억 골드씩이나
내게 허비한
바보 같은 여자를
철저히 이용해 주리라
다짐했었다.

그 가녀린 목을 꺾고
빌어먹을 공작저와
이 이오카 제국을
떠나겠다고.

하지만
그 여자가 날 향해
미소지을 때마다

그 다짐은
속절없이
무너졌다.

차갑고 매정하면서,
웃을 때면 마치 설화 속
마수들의 여왕처럼
아름답고 매혹적인 사람.

그 사람 말이 맞아.
어차피 제국에서
탈출해 봤자
돌아갈 곳도 없잖아….

우리 델만은
완전히 멸망했습니다.
이제 지도에서도
찾아보지 못해요.

사르륵 눈을 접고
내게 소근거릴 때면
모든 걸 포기하고 이곳에
안주하고 싶어져.

현실에 순응해야지요.
여기선 노예들도
일을 하면
삯이나마 받습니다.

델만에서 가뭄으로
굶어 죽는 것보단
낫지 않겠습니까?

그걸 경계하려고
일부러 공작저에서
멀어질 구실까지
만들었지만 소용없었어.

그들의 처지에 비하면
입에 담지도 못할 만큼
윤택한 생활.

91

내가
바라는 것은
모두 들어줬어.

처우. 굶주림. 배움.
하다못해 노예에겐
허락될 수 없는
자유 시간까지.

―너는 내게,
아주 중요한
사람이야.

미친 생각이라는
걸 안다.

하지만, 그럼에도
이 들끓는 감정을
통제할 수가 없어.

'중요한 사람'.
…그 사람에겐 내가
꼭 필요한 거야.

패전국 노예라고
침을 뱉기 바쁜 다른
제국 놈들과는 달라.

난…
주인님께
소중한 사람이야.

―너는 내게
아주 소중한 사람이야,
이클리스….

언제부터였을까.
계속해서 경계하던
그녀의 알 수 없는 속셈이
이제는

...깜짝 놀랐네. 또 목에 대고 휘두르는 거 아닌가 싶었는데,

들고 있던 걸 갑자기 내다 꽂을 줄이야.

꼭 본능적으로 주인의 목소리를 알아들은 것처럼.

오늘은 검술 수업에 가지 않았더라.

...아.

...스승님이 일이 있으셔서, 한동안은 오후 늦게 와도 된다고 하셨어요, 주인님.

그러니? 다른 기사들은 외부 합숙을 갔다길래, 너 혼자 외로울까 봐 왔어.

......

자, 받으렴.

이게... 뭐예요?

연고와 약초들을 좀 챙겼어.

다친 사람들을 치료할 약이 없어서, 풀이라도 모아야 했다며.

효과가 좋은 물건들로 챙겼으니, 가지고 가서 필요한 사람들에게 나눠 줘.

......주인님.

자, 얼른.

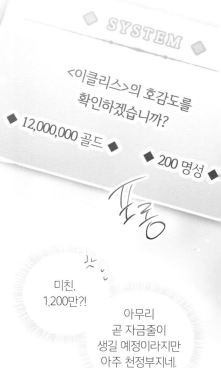

SYSTEM

<이클리스>의 호감도를 확인하겠습니까?

12,000,000 골드

200 명성

미친. 1,200만?!

아무리 곧 자금줄이 생길 예정이라지만 아주 천정부지네.

12,000,000 골드를 지불하여
《어클리스》의 호감도를 확인합니다.

남은 소지금 : 46,000,000 골드

96%

4%…!

이제 정말 코앞이야.
앞으로 조금만 더!

…정말로
감사해요,
주인님.

……이클리스,
혹시…

그거 말고
나한테 할 말은
더 없니?

예?
무슨…

…응, 아니야.
아무것도.

SYSTEM

어느 한 명의 호감도를
100%까지 쌓게 되면,
사랑한다는 고백을 받고
엔딩을 맞이합니다.

그래, 아직
100%를 채운 건
아니니까.

—오늘은 같이 놀러나 갈까? 매일 훈련만 하면 지겹잖니.

놀러…요?

후후, 왜 눈을 그렇게 크게 떠.

—.

꼭 땡땡이라곤 모르는 모범생 같네.

페넬로페 아가씨—!

아아,
이 지긋지긋한 생활도
얼마 남지 않았어.
웃음이 절로 나오네⋯.

무슨 일이야,
펜넬?

아가씨,
실례합니다.

곧장 저택으로
돌아와 보셔야
할 듯합니다.

왜
그러는데?

그것이,
송구하지만
잠시 귀를⋯

⋯황태자 전하의
보좌관이

저택에
방문하셨습니다.

뭐?!

설마, 지난번
솔레일 섬 관련해서
무슨 일이라도 있나?

만에 하나
칼리스토가 무언가
알아낸 거라면—

—얼른
가 보지.

!

…저를 찾아와
주신 거잖아요,
주인님.

이클리스.

황궁에서 사람이 왔어.

긴급한 일일지도 몰라.

금방 다녀올 테니 너무 상심하지 말고 훈련하고 있으렴.

얼른 갔다 와서 놀러 가면 되잖아. 응?

……

아가씨. 이만…

…아, 응.

얼른 다녀올게.

…아가씨.

아랫사람을 아끼시는 마음은 좋지만 너무 방자하게 기어오르도록 두지는 마십시오.

지난번 훈련 불참 건도 그렇고, 그는 여러 차례 선을 넘고 있습니다.

어리광을 받아 주실수록 끝이 없을 겁니다.

진심 어린 충언 고마워, 펜넬.

하지만 앞으로 그 애 앞에서 내 허락 없이 먼저 나서진 마.

아가씨….

명령이야.

오만방자한 태도 정도로 기분 나빠하기엔

이미 너무 멀리
와 버렸으니까.

반짝

반짝

반짝

뭐야,
왜 저렇게 부담스러운
눈으로 보지?

이름이
세드릭이었던가.

…오랜만이네.

오늘 이렇게
공녀님을 찾아뵌
이유는….

잠깐만.

예! 공녀님.
사냥 대회 이후로
처음 인사드립니다.

펜넬, 에밀리.
두 사람은 그만
나가 봐.

네?!
저, 저도요?

내가 그날
외출한 사실은
아무도 모르도록
마법까지 걸었는데,

보좌관이
'솔레일'이니
'레일라 신국'이니
떠들었다간 낭패인걸.

아, 아니요!
그러실 필요 없습니다.
오히려 함께 봐 주시면
더욱 좋지요.

…뭐?
보다니?

그날 사건에
관한 게…
아니야?

대체
무슨 일로
왔길래?

마상쪽

아가씨가
제게 나가라
하시다니

그게… 며칠 후면
황태자 전하의
탄생일이 아닙니까?

탄생일?

아참, 맞다.
이 세상에선 황족 탄신일은
공휴일이나 다름없었지.

그렇지.
그게 왜?

아는 척

씨

어

※황성 하인들

탄신 연회 때
공녀님께서 입으실
드레스를

전하께서
선물로
보내셨거든요.

……뭐? 드레…?

예! 바로 보여 드리겠습니다.

아니, 됐…

보십시오, 공녀님.

두근

—어머나,

어쩜 세상에…!!

너무 아름다워요…!

드레스에서 빛이 나요! 마, 마법인가요?

에헴, 그런 인위적인 것은 식상하기 마련이죠.

이건 나이트 쿤 요정의 날개들을 재단해 만든 것입니다.

허억! 그 검지만 한 요정들이요? 세상에, 그렇게 작은 날개들로 한 벌을 만들다니!

저게 다 무슨 소리람.

검은색 드레스 같은데,
볼수록 푸른빛이
천 전체에 일렁거리는 게
꼭 밤바다의 파도 같아.

신기하긴
하네….

반짝이는 질감은
파이니산
블루 다이아몬드를
갈아 붙인 것입니다.

파이니산이라니,
그런 고가의…!

그리고 자수들은
모두 순금이지요.
사실 다이아몬드만으로
완성되었던 옷이지만,

전하께서
공녀님이 황금을
무.척.이나 좋아하신다고
귀띔하셔서

특별히 황가 소유
광산의 금으로
수놓은 것이랍니다.

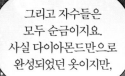

뭐,
예쁘긴 하지만
그 정도까진….

누가 보면
황금 광인인 줄
알겠네.

맞지만

세상에나,
세상에나!

황가 소유의
순금…!

이것이
끝이 아닙니다.

포피뉴
다이아몬드와
붉은귀거북조개의
진주입니다.

딱 봐도
어마어마하게
값진 보물

아연

무슨 진주가
500원짜리
동전만해

포피뉴 다이아몬드는
유명하니 잘 아시겠지요.
물론 이 또한 무척이나
힘들여 구한 것이지만,
붉은귀거북조개의
진주는 황비님마저도
몇 년째 찾아다니신 겁니다.
워낙 전설 속 보석이나
다름이 없어서요.

황비님보다
먼저 손에 넣으라고
어찌나 진상을…
아, 아닙니다.
아무튼
고생한 보람이 있네요!
공녀님께 무척이나
잘 어울리실 것
같습니다.

……

혹시…
마음에
안 드시는지요?

아니, 마음에 들고
안 들고를 떠나…

아아악!
이런 미친놈!!

공녀님,
노파심에 드리는
말씀입니다만 혹시 전하께
협박이라도 받고 계시다면
헛기침을 두 번 해 주십시오.
제가 어떻게든 도움을…

그런데,
어디 불편하십니까,
공녀님?

갑자기 왜 입술을
만지작거리시는지…

아, 알 것
없잖아.

아…….

뭐야,
그 뭔가를 깨달은
듯한 표정은?

(왠지 불쾌)

하사하신 선물들은 감사히 받지.

하지만 파트너 얘기는 금시초문이니, 전하께 확실하게 전해 드리길 바라.

예? 어떤 말을…

연회 참석 여부가 확실치 않으니 다른 사람을 찾아보시는 게 좋을 것 같다고 말야.

혹시 모르잖아? 그날 내가 갑자기 열병이라도 들어 앓아누울지.

아, 네네. 물론 그렇지요. 네….

…….

…어, 그럼 저는 모두 전해 드렸으니 이만 실례할까 합니다. 차 감사히 마셨습니다, 공녀님.

그래, 바쁜 사람 붙잡을 순 없지.

얼른 꺼져 버려.

그럼 가 보겠습니다.

전하를 받아 주셔서 정말로 감사합니다, 공녀님.

…에밀리?

…응?
그러고 보니
작별 인삿말이 좀
괴상하지 않았어?

휴, 어쨌든
무사히 보냈구나.
생각보다 별일은
아니었네.

에밀리,
이것들 정리해서
방으로 갖다 놔 줘.

낯선 눈빛

조——용

이오카일보

아가씨, 혹시…
정말로 소문처럼 그간,
황태자 전하와
냉전기셨던 겁니까?

〈단독〉아무도 몰랐다!!
비밀스러운
세기의 커플

슬픈 이별인가
담순한 냉전기인가

공녀가 걸어차도
□□를 모르는
황태자의 짐요한구애!!

아,
아니야!!

115

정말 그런 거
아니라니까──?!

공허한 외침

하아…
별일도 아닌데
전쟁 같았네,
진짜.

그 두 사람은
끝까지 수상한
눈으로 보질 않나.

레널드는
갑자기 달려와서
사람을
들들 볶질 않나.

술렁…
술렁…

탄신 연회에
참석할지 안 할지
정한 것도 아니니까
입들 조심해!

야 오늘 그놈
보좌관 왔다며?!
왜 온 거냐?

핫소문들은 내가
다 잠재워 넜는데?
아 무슨 얘기
하고 갔냐고─…!!

(대참)

아가씨,
펜넬입니다.

예.
마부와 마차도
없는 걸 보아
확실합니다.

다녀왔구나.
이클리스는
데려왔어?

그것이…

그럼… 정말로
수업을 받으러
갔나 보네.

이클리스는
검술 수업에 갔다는
모양입니다.

뭐?
벌써?

분명 아까는
늦게 가도 된다고
말했던 것 같은데….

하지만 마차는
반드시 수업을 받는
마을로만 다니니까,
다른 길로 빠질 리도 없고.

하긴, 기껏 스승까지
구해 줬는데
열심히 하면 좋지 뭐.

데이트는 내일
해야겠네….

…펜넬,
외출할 준비
좀 해 줘.

아가씨 혼자
나가시는 겁니까?

어디를
가시려는지…

글쎄…

…무기상에라도
가 볼까.

이미 모든 걸
가진 사람에게
과연 무엇이 필요할지

의미가 있기는 할지,
잘 모르겠지만.

악역의
멘딩은
죽음뿐

다음 날,
이클리스가 예정 시간보다
훨씬 늦은 새벽녘에
돌아왔다는 보고를 받았다.

불안함이
다시 엄습했지만

자유 시간을 준 것도,
약초를 쥐여 준 것도 나니까
굳이 추궁하지 않고
이렇게만 말했다.

깨어나는 대로
나 좀 보러 오라고
전해 줘.

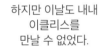

하지만 이날도 내내
이클리스를
만날 수 없었다.

일어나자마자
곧장 또 마차를 타고
훈련에 갔다고 합니다.

혹시…
날 피하는 건가?

하지만 이상해.
보좌관이 방문한 일로
토라졌다고 해도,

이클리스만큼
주제 파악 빠른 애가
내게 이렇게까지
티를 낼 리는 없어.

성인식이
얼마나 남았더라?
앞으로 2주 정도….

96%

초조해하는 동안
설상가상으로
황궁에서 날아온
초대장에는

황태자 탄신 연회에
공작 일가 전원이
무조건 참석하라는
명령이 담겨 있었다.

4%를 올리기에
충분하다면 충분한,
한편으로 촉박하다면
촉박하기도 한 기간.

결국 그다음 날도,
또 그다음 날도
이클리스를 만나지 못한 채

연회 당일의
아침이 밝았다.

아가씨, 드레스 입으셔야 해요.

저 옷은…

세상에, 너무 아름다워요, 이 질감 좀 봐…!

아가씨랑 정말 잘 어울리실 것 같아요!

……

새벽부터 때 빼고 광 내심

다른 드레스 가져와.

네? 왜요, 아가씨? 다름 아닌 그분께서 직접—

에밀리.

연회에 얼굴만 비추고 금방 돌아올 거야. 눈에 띄지 않을 만한 드레스로 가지고 오렴.

네에….

우리 아가씨가 그러면 그렇지

화려한 건 싫어하지만, 제법 안목이 있다는 건 인정하겠어.

입으면 분명 페넬로페의 자태를 더욱 돋보여 줄 테지.

하지만 칼리스토가 선물한 이 드레스를 입으면 반드시 그와 또 엮이고 만다.

이제 엔딩이
코앞이야.

―페넬로페.

더는 예기치 않게
다른 공략 대상과
엮이는 것도,

알 수 없는
울렁거림에
얽매여서도 안 돼.

다들 왜
여기 계세요?

황궁까지 따로 가는 거 아니었어요?

……

크흠, 이놈들이 같이 가자고 하도 청하기에 말이다.

아, 아버지, 잔짜. 우리가 언제

너 이번에도 파트너 신청 한 개도 못 받았지?

아니거든?

차마 한 미친놈이 있다고 밝힐 순 없음

울컥

민망하지 말라고 오라버니들이 같이 가 주는 거니까 고마운 줄 알아라.

누구한테 신청했다 까여서 내 핑계 대는 건 아니고?

아, 이게 죽고 싶나!

스읍, 레널드, 페넬로페. 시간 다 됐으니 마차나 타라.

유치한
분홍대가리.

잡아라.

데릭…

그러고 보니
데릭의 호감도는
감춰지고서 한 번도
확인한 적이 없었지.

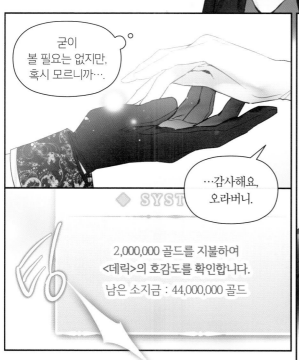

굳이
볼 필요는 없지만,
혹시 모르니까….

…감사해요,
오라버니.

◆ SYST

2,000,000 골드를 지불하여
<데릭>의 호감도를 확인합니다.

남은 소지금 : 44,000,000 골드

45%

마지막으로 본 게
32%였던가.
의외로 올랐잖아.

그래 봤자 100%이
코앞인 마당에,
이제 와서
별 감흥은 없지만.

…지금 쟤가 칭찬한 거 맞지?

……

오늘 차림이 제법 숙녀답군.

오늘 연회에는 황제 폐하께서도 자리하신다니, 다들 경거망동하지 말거라.

특히 페넬로페.

왜 또 나만 가지고 저래?

또 어떤 놈팡이들이 치근덕거린다고 아랫도리부터 발로 걷어차지 말고.

쩍

누누이 말하지만, 정 못 참겠으면 사람 없는 데로 끌고 가서. 알겠느냐?

아버지, 그런 이야기 좀 삼가시라고 누차 말씀드리지 않았습니까.

암, 한마디 하셔야죠. 쟤가 재작년에 한 자작가 대를 끊어 먹을 뻔한 걸 생각하면… 어우!

몸서리

오호…
비싼 신발 아니랄까 봐
좀 쓸모가 있나 보지?

야, 너
갑자기 구둣발은
왜 음흉하게 치켜들고
그러냐?!

내가 뭘?
아버지,
염려 마세요.

어휴,
저 미친…

어디서 황금 머리가
갑자기 튀어나오는 건
아니겠지?

두리번

'내 파트너 왔는가',
뭐 이딴 헛소리 하면서
등장하는 거 아냐?

애야.

애비가
에스코트할 수 있게
허락해 주겠느냐?

늙은이랑 같이
입장할 바에야,
차라리 혼자 들어가겠다고
또 거절할 게야?

어…….

대놓고 그런 말까지 했어?! 페넬로페 얘는 진짜!!

큼, 싫으면 됐고.

아 그럴 리…!

덜

그럴 리 없잖아요… 아버지.

화악

ㅡ.

에카르트
공작 가문
드십니다ㅡ!

뷘터….

토끼 가면 없는 모습은 오랜만에 보네.

얼마 전 그렇게 헤어져서, 마주하긴 좀 부담스러운데….

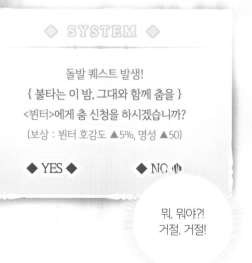

◆ SYSTEM ◆

돌발 퀘스트 발생!

{ 불타는 이 밤, 그대와 함께 춤을 }

<뷘터>에게 춤 신청을 하시겠습니까?

(보상 : 뷘터 호감도 ▲5%, 명성 ▲50)

◆ YES ◆   ◆ NO ◆

뭐, 뭐야?! 거절. 거절!

저 늙은 놈이 뭘 쳐다봐?

핫

단칼에
거절함

모르겠다.
사람 없는 곳으로
빠져야지.

야, 야!
어디 가는데!

SYSTEM

돌발 퀘스트 발생!
{ 불타는 이 밤, 그대와 함께 춤을 }
레널드에게 춤 신청을 하시겠습니까?
(보상 : 레널드 호감도 ▲5%, 명성 ▲50)

YES

NO

이 게임 진짜
미친 거 아냐?

그리고 왜
공략대상이 아니라
내가 신청해야 돼?!

왜
쫓아와?

(네 존재감 때문에
이목이 쏠리잖아)

너 쫓아온 게
아니고 원래
여기가 내 단골
자리거든?

그래? 그럼
내가 피해 줄게.
네 자리라며.

…됐다.

언제는 안 가면
안 되냐고 지가
먼저 붙들어 놓고!

짜증 나게!

아니,
내가 언…

꼭 가야 해?
그냥 나랑
같이 있으면….

미,
미쳤냐?!

사냥 대회 전야제 때…
설마 그 일을
신경 쓰고 있던 거야?

이따가 또 오면
한 번쯤 춤추자고
해 볼까….

…춤을
추겠나.

어?

……저랑요?

그래.

SYSTEM

돌발 퀘스트 발생!
{ 불타는 이 밤, 그대와 함께 춤을
<데릭>에게 춤 신청을 하시겠습
(보상 : 데릭

데릭이 왜 여기 있지?
늘 다른 사람들에게
둘러싸여 있기 바빴는데.

오라버니라고 불리는
것조차 싫어하면서,
나랑 도대체….

왜….

너는 항상
나에게서
이유를 찾는군.

사실은
나도 몰라.

나도
그의 마음을 모르고,
그 또한 자신의
마음을 모른다.

물어봤자 아무것도
알 수 없겠지.

…그래. 어차피
오늘 밤 내내 뜰 퀘스트,
그냥 한 놈 잡아서
끝내는 것도 나쁘지 않아.

비굴하게 호감도
구걸하는 상황도
아닌데 뭘.

좋아,
수락—

공녀와
춤을 춰야 할 이는
나라서 말이야.

미안하게
됐군.

SYSTEM

돌발 퀘스트 발생!
{ 불타는 이 밤, 그대와 함께 춤을 }
<칼리스토>에게 춤 신청을 하시겠습니까?
[보상 : 골드 5,000골드, 50% 호감도 급상승]

SYSTEM

<칼리스토>의 호감도를
확인하겠습니까?

◆ 2,000,000 골드 ◆   ◆ 200 명성

황태자 전하,
이게 지금
무슨 짓입니까.

어, 어디서
사람 허리를 막!

뭐
하시는...
읏.

무야앗

일이 있어
좀 늦게 도착했는데,
좀처럼 눈에
안 띈다 했더니…

흠

이런 곳에 잘도 숨어 있었군. 한참 찾았어, 공녀.

……

그 손을 놓으십시오.

싫은데?

남매끼리 춤이야
언제든 출 수 있잖나.
오늘은 나에게
양보해.

송구하지만
최근 동생과
어울릴 시간이 귀해
그건 어렵겠군요.

전하께서도
승계를 확정 지을
대귀족 회의를
앞두고

이 이상 에카르트에
무례한 행동은
삼가시는 게 좋지
않겠습니까?

…?

부득.

…무례하다니.
섭섭하군,
소공작.

공녀는
내 파트너야.

여인을 막무가내로
끌고 가는 행위를
파트너 신청이라
하실 참입니까.

웅성

웅성

자네가
뭘 모르는
모양인데,

140

나는 보좌관을 통해
정중히 신청했고,
공녀가 이미
수락한 바다.

정말인가?

…네?!

수, 수락이라니
제가 언제…!

거절하면
솔레일을 소탕한 제국의
영웅에게 춤을 청한다고
큰 소리로 외칠 거야.

이런
상 미친놈!!

ㅋ

ㅎ죽

…전하께
춤 신청을 받은 것을
영…광으로…
여기고 싶어요.

……오라버니.

파트너란 인정은
이 악물고 안 함

깜빡

깜빡

…페넬로페
에카르트,

…….

왜

깜빡

…괜찮겠지?

아무리 엑스 친 놈이라지만, 이렇게 흘러가도 되나…

속은 후련하다만

큭. 크큭…

소공작이 저런 면상을 하는 건 처음 보는군.

덕분에 한 방 잘 먹였어, 공녀.

쿡쿡쿡

빠각

이게 뭐 하는 짓이에요! 제가 언제 전하 파트너 한다 했습니까?

왜, 맞잖아?

세상에 전하와 공녀께서…

돌던 소문은 사실이었…

——전 갈래요! 혼자서 춤 양껏 추시든지요.

공녀.

…화났나?

지…금
뭐 하시는
거예요?

춤은 좀
춰 주고 가,
공녀.

남들 다 보는데
옷자락을

혼자 추시라고
말씀드렸잖아요.

어린애도 아니고
왜 이래?

황족을 함부로
뿌리칠 수도 없고…
다 알면서 이러는 거지?

저 말고도
전하 상대가
되어 드릴 여자들은
넘칠 텐데요.

글쎄.

명색이
생일 연회인데,

황태자씩이나 돼서
파트너에게 춤도
거절당했다는 말이 돌면
내가 너무 불쌍하잖아.

흡.

꺅,
황태자님….

쉿!
다른 데로
가자.

못 들었어?
모반한 귀족들 목을
직접 베셨다고….

지난번 2황자님
연회 때도….

넘쳐 보여?

공녀는 저번부터
나를 비참하게 만드는
재주가 있어.

…….

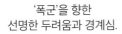

'폭군'을 향한
선명한 두려움과 경계심.

장차 황제가 될
고귀한 이에게 보내 마땅할
선망과는 다르다.

아마도,
친부인
황제에게조차.

…그냥 한번
어울려 주지 그래.

조금 전 데릭이
승계 확정에 대한
이야기를 했지.

즉 칼리스토는
그토록 오랜 시간
전쟁터에서 구르면서도,
여전히 공을
인정받진 못한 거야.

생일이잖아.

그 비싼 것들을 받고
입 싹 닫는 건 너무하지 않나?
억만금을 줘도 못 사는
보물들이라고.

누가
달랬나.

하지만 왠지,
옷자락까지 붙들고
늘어지는 이 모습이…

좀…
처량해 보여.

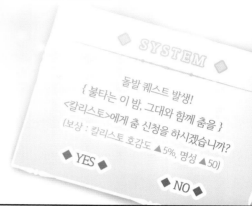

◆ SYSTEM ◆

돌발 퀘스트 발생!
{ 불타는 이 밤, 그대와 함께 춤을 }
〈칼리스토〉에게 춤 신청을 하시겠습니까?
(보상 : 칼리스토 호감도 ▲5%, 명성 ▲50)

◆ YES ◆   ◆ NO ◆

……저
춤 못 쳐요.

쓰삭

그럼 이렇게
하면 되지.

빠악

어어?
꺅!

뭐,
뭐 하는 거예요!
내려 주세요!

즈악

뭉개지겠어

윽, 공녀.
그거 아나?

뭘…!

그대는 가끔 꼭
날 한 대 패고 싶다는
표정을 지어.

황족의 몸에 손대는
중죄는 허락할 수 없지.
대신 발이라도
실컷 밟아 두라고.

자, 잠시만…
으앗!

균형을 잡기가
어려워.

주변의 시선도,
지나치게 가까운 거리도,
아무것도
따질 여유가 안 나.

하하

그대는 정말
춤을 못 추는군.

지금
장난하──

──저런 식으로

웃을 수 있구나.

어울려 줘서
고마워,
공녀.

◆ SYSTEM ◆

{ 불타는 이 밤, 그대와 함께 춤을 }
퀘스트 성공!

보상 획득 : 칼리스토 호감도 ▲5%

명성 ▲50 (TOTAL : 610)

......

수근
수근

미친,
어느새!

북적

북적

왝

공녀?

악역의
엔딩은
죽음뿐

망할
시스템!

곰이니 마물이니
사냥할 땐 자동으로
움직여 놓고
왜 이럴 때만
쓸모없냐고!

발 위에서
허우적대는 꼴을
다 보였다니
너무 창피해!!

정신없이 바깥으로
도망쳐 옴

왜 도망을
가지?

뭘
따라오고
있어!

춤 다 췄잖아요.
이제 좀
놔주시죠, 전하.

윽, 윽.
실컷 밟으라 할 땐
가만있더니 이제 와서.
이거 황족 폭행이야,
공녀.

크윽

이대로 있다간 귀족들은 물론이고 근위병들까지 구경 올 텐데?

그전에 얼른 날 들여보내는 편이 낫지 않겠나?

윽… 분하지만 일리가 있어.

사실 힘으로 밀고 들어오면 꼼짝 못 할 자

끼익

뚜벅

하아… 대체 왜 쫓아오시는 거예요? 해 달라는 대로 춤 다 춰 드렸잖아요.

이 황궁에 황태자가 못 갈 곳이 어디 있나? 엄밀히 말하면 그대가 점거 중인 거지.

참나

그럼 제가 가겠습니다. 안녕히 계세요.

턱

어허

농담도 못 하나?

그나저나 아까부터 묻고 싶었는데.

흠칫

내가 보낸 드레스는 왜 안 입고 왔지?

장신구도 착용하지 않았군.

······너무 예뻐서 아껴 쓰려고요.

아무 말

허. 내가 그대를 모를 줄 아나?

뭘요?

내 눈에도 남들 눈에도 띄기 싫으니까 그랬겠지.

정확히 아는 놈이 그런 걸 줘?!

다이아몬드 광산은 넙죽 받았으면서,

쯧쯧

다이아몬드 장신구와 드레스는 또 받기 싫다? 성격 참 이상해.

국궁

전하께서 저한테 성격 지적을···.

…신경 써 주신 것은
감사하지만
애초에 저는 포상 같은 거
필요 없었어요.

ㅎㅏㅇㅏ

그날 일은…
없었던 일로
해 주세요.

두둥

뭘? 그대와 내가
두 번이나
입을 맞춘 것?

기겁

아니요!!
솔레일 관련해서요,
솔.레.일!!

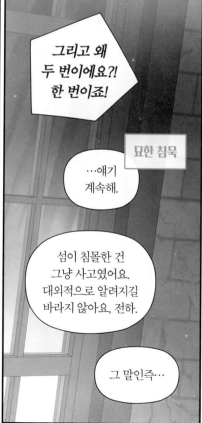

그리고 왜
두 번이에요?!
한 번이죠!

묘한 침묵

…얘기
계속해.

섬이 침몰한 건
그냥 사고였어요.
대외적으로 알려지길
바라지 않아요, 전하.

그 말인즉…

159

그대 아비에게 말이로군.

…!

얼마 전 공작과 사적으로 대화를 나눌 일이 있었다.

그날 외출한 사실은 물론, 그대의 특질에 관해서도 전혀 알지 못하는 눈치던데.

…맞아요, 아실 필요 없어요.

친부녀 사이도… 아니니까요.

그건 그렇지

뭐, 사실 그대가 포상 따위를 원치 않을 줄 예상했다. 드레스를 입을 리도 없었겠지.

예상…하셨다고요? 그럼 왜 보내셨어요?

그냥.

…네?

보고 싶어서.

그것들을 보자마자
그대가 떠올랐다.

황비 같은
악귀의 손에 들어갈 바엔
걸맞은 주인을
찾아 줘야 한다고
생각했지.

그뿐이야.

난 또,
황비에게
빼앗기기 싫어서
준 거구나.

그런 거겠지.
그래야만 해.

그런데…

난 이렇게
퍼다 날랐는데,
그대는 뭐 생일 선물
같은 거 없나?

뭐야

진짜 없어??

춤춰
드렸잖아요?

아무리 그래도 그렇지,
제국 신민이 되어서 감히
하나뿐인 황태자의 탄신일에
아무것도 안 바치나?

이거, 이거,
에카르트 가문의
예절 교육을
다시 봐야겠어.

푸시시

푸시시

아주 황족에 대한
예우가 말이야,
역시 한 번쯤
지하 감옥 구경을—

아, 정말—

여기요,
여기요!

진작
줄 것이지.

혹시나 해서
사 둔 건데,
안 가져왔으면
큰일 날 뻔했네.

이건…

루비로군…. 커프스 버튼인가?

보통 루비는 아니에요. 치유 마법이 새겨진 건데….

…치유 마법?

네. 혹시라도 다치시면 그걸 상처에 가져다 대세요.

보석이 완전히 부서지기 전까진 마법이 발동한다고 해요.

이게 내 창의력의 한계였어. 모든 걸 다 가진 권력자한테 줄 선물을 골라 본 건 처음인걸.

이래서 몰래 남겨만 두고 돌아가려고 한 건데….

아, 앞으로 혹시라도 옥체 상하셨을 때,

저한테 치유 마법도 못 쓰냐고 닦달하지 마시고 그거 쓰시라고—

이러면 되나?

전하…!

—저,

왜?
이렇게 끼고 있다가
필요하면
빼서 쓰면 되지.

대체 이게…
이게 뭐 하는
짓이에요!

커프스 버튼을
소매에 달지
누가 귀에
박아요!

이 나라의
황태자가.
오ㅋ
효과:좋은데

허….

정말이지……. 전하를 이해할 수가 없어요.

그렇게 미친놈 보듯 볼 거 없어. 그대가 준 선물 덕분에 바로 나았으니까.

그건 나도 마찬가지야.

제가 뭘요?

그대처럼 이상한 여자는 처음 본다고 말 안 했나?

저는 지극히 정상입니다. 전하께서는 의원을 좀 만나 보시는 게…

그러니 이상한 사람들끼리 한번 잘해 보자고.

공녀.

——지금 뭐라고….

무성한 소문만
제공할 게 아니라,

진짜로
만나 보자고.

그렇게 놀랄 일인가?
나는 그대도 어느 정도
같다고 생각했는데.

누가 보면
미로 정원에서 들은 말은
내 꿈이었던 줄 알겠어.

…이봐,
혹시 아직
화가 나 있나?

그게 무슨
말이에요…?

그때,

내가
그대의 목에
칼을 들이밀었던
일 말야.

──어느새
잊고 있었어.

언제부터
이렇게 변한 걸까.

분명 그때까지만 해도
치가 떨리게
무섭고 싫었는데,
이제는 오히려…

그대에게 칼을 주고
똑같이 내 목을
썰라고 하면.

그대 분이
좀 풀리겠어?

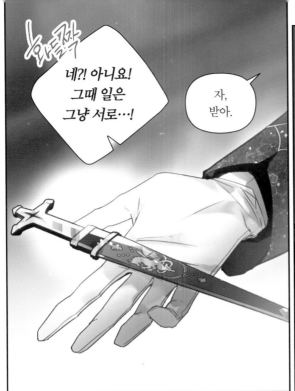

네?! 아니요!
그때 일은
그냥 서로…!

자,
받아.

명색이
내 탄신 연회인지라
검은 들고 오지 못했다.

대신 이걸로라도
살짝 그어 봐.

─지,

지금
뭐 하자는 건가요?
됐어요!

왜? 마침
그대가 준 선물도 있겠다,
바로 치료하면 되잖나.

누굴 역모죄로
집어넣을 일 있답니까?
위험하니 얼른
집어넣으세요!

이런 미친놈이, 진짜….

하하.

그럼 이제 나와 교제하는 데 걸리는 것 없는 거지?

──경광등.

늘 위험한 징조에
불과했던
선명한 빨강.

내 탈출과는
가장 거리가 먼 색이라고
생각했는데.

이제는…
잘 모르겠어.

어쩌면 나는
어느 순간부터
무의식적으로
외면해 온 걸지도.

왜냐면,
왜냐하면

나는
그를……

…전하.

!

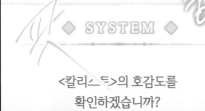

◆ SYSTEM ◆

─────────────

\<칼리스토\>의 호감도를
확인하겠습니까?

◆ 2,000,000 골드 ◆   ◆ 200 명성 ◆

◆ SYSTEM ◆

─────────────

2,000,000 골드를 지불하여
\<칼리스토\>의 호감도를 확인합니다.

남은 소지금 : 42,000,000 골드

......아.

76%

…녀.

공녀.

갑자기 표정이
왜 그래?

……전하.

말해.

저를……
사랑하세요?

…사랑?

네.

저를……
사랑하셔서
교제를 청하시는
거예요?

…공녀.

우리 같은 처지에
그런 순진한 단어는
너무 안 어울리지 않나?

답지 않게 왜 그래?
사냥 대회 전야제에서
공녀가 한 말이잖아.

그대의
처지에 걸맞은
현실적인 사람을
찾아보겠다고.

왜 물어봐야만
했을까.

이미 호감도 76%에서
모두 끝난 일이었는데.

그런데도 나는,
혹시나 해서.

76%

곰곰이 생각해 보니
일리가 있더군.
하지만 그대의 생각은
틀렸어.

우린 현실적으로
서로에게 가장 필요하고
걸맞은 위치에 있어.

위태로운 자리의
황태자와
공작가에서 내놓은
미운 오리 새끼의
결합이잖아.

그리고 그걸 떠나
그대와 있으면 편하고
기분이 유쾌해져.

우리 제법
잘 맞는 편이지 않나,
공녀?

…아아.

이제 이해가 된다.

칼리스토가 청한 '교제'란, 어디까지나 판단에 의한 선택이구나.

그에게 이 세상은 연애 시뮬레이션 게임 따위가 아니라, 냉정하게 직시할 현실이니까.

하긴, 고작 76%에 사랑은 얼어 죽을. 호감이라면 모를까.

그래, 칼리스토를 볼 때마다 울렁거리던 이 감각은… 호감이었던 거야.

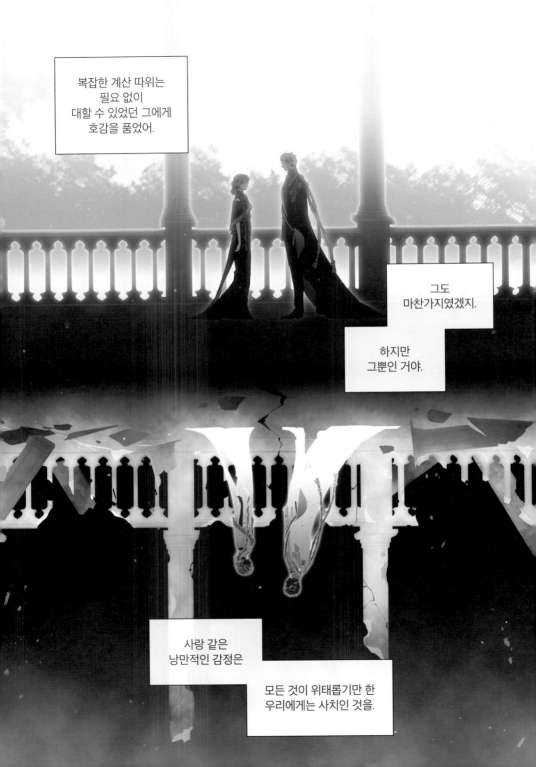

복잡한 계산 따위는
필요 없이
대할 수 있었던 그에게
호감을 품었어.

그도
마찬가지였겠지.

하지만
그뿐인 거야.

사랑 같은
낭만적인 감정은

모든 것이 위태롭기만 한
우리에게는 사치인 것을.

4%와 24%···.
고지가 일주일 남은 시점에
비교할 것도 없지.

실망할 것도, 이렇게
힘이 빠질 이유도
없을 터인데···.

···저는,

저는
전하와,

별로 그런 사이가
되고 싶지―

황제 폐하
드십니다―!

제기랄.
세드릭 포터 이 자식이
참을성이라곤
개나 줬군.

얼마 후면
그대의 성인식이지?
좀 더 고민해 보고
그날 답을 줘, 공녀.

아니요,
더 고민할 건
없을―

쉿.

생일날에 차이면 너무 비참한 일이잖아. 안 그래?

으읍, 읍!

선물은 고마워, 공녀. 그대는 좀 천천히 나오도록 해. 관심 많은 쥐새끼들이 있을지도 모르니까.

푸하, 답은 듣고 가세… 전하!

…….

악역의
엔딩은
죽음뿐

…그냥 갈까?

이런 기분으론
도저히 저 안에
다시 들어가서

아무렇지 않은 척
놈들 눈치를 볼
자신이 없어.

별로
높지도 않은데.

페,
페넬로페 공녀님?
어째서 이 시각에 홀로
귀가하셨습니까?

소란 피울 것 없어.
문이나 열어.

따라오지 마.

저… 저택 앞까지
에스코트해
드리겠습니다,
공녀님.

……아니.
산책할 겸
혼자 걸을 거야.

아무런 생각도 안 들어.

앞으로의 계획이라도 세워 보려고 했는데….

안 되겠어. 방으로 돌아가서 잠이나 자야지….

삐요오―

달빛

…새?

…답답하지
않니?

내 머리칼과
꼭 닮은 빛깔의 새.

누구보다 화려하고
값비싼 몸이지만,
사실은 새장에 갇혀서
아무것도 할 수 없어.

…하.

하하.

사실 나는 답답해.
매 순간 숨이
턱턱 막혀.

여기서
탈출만 하면 끝이니까,
아무렇지도 않을 거라고
생각했는데….

―.

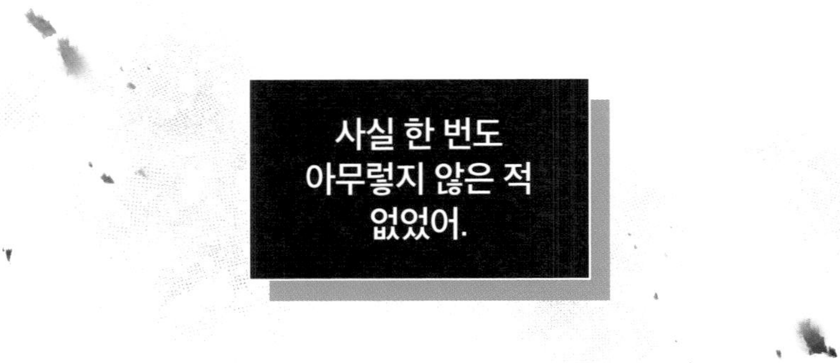

사실 한 번도
아무렇지 않은 적
없었어.

현실 집구석에서
살던 때보다
더한 지옥은 없을 거라
생각했는데.

게임일 뿐이라고,
탈출하면 그만이라고
나 자신을 속였지만
매 순간 무섭고 억울했어.

이 세상에선
내 마음대로 할 수 있는 게
단 하나도 없었어.

그게 바로
페넬로페의 세상인 거라고,
넘치도록 알고 있었는데.

그런데 왜…

왜 하필
탈출을 눈앞에 둔
이제 와서 자각한 걸까.

왜 하필
노멀 모드의 주인공만
등장하면 돌아설 게임 속
공략 대상에게

태어나서
처음으로….

바보 같아.
한심해.

알고 있었으면서,
멋대로 기대하고
실망하고….

아무렇지
않지가 않아.
나는 감정이 있는
사람이라서,

가면을 뒤집어쓰고,
악착같이 계산하고,
자꾸만 스스로를
다그치는 거─

너무……
지쳤어.

주인님?

……이클리스.

…아.
눈….

물기는 없구나.
다행이다….

검술 수업에서 이제 돌아오니?

여기서 뭐 하고 계세요?

그냥. 새를 구경하고 있었어.

외출…하고 오신 것 같은데요.

…….

…네.

많이 늦었네.

오늘 황궁에서 연회가 있었거든.

황태자의 생일 연회요?

! 알고 있었니?

스승님도 참석하셨거든요.

아… 그랬구나.

어라? 그러면 오늘 수업은 없었다는 뜻 아닌가…?

그런데… 왜 주인님 혼자 돌아오셨어요?

아,
그건…

……

움찔…

왜…
그렇게
웃으세요.

응?

그 자식들이 또
주인님을 슬프게
만들었어요?

무슨…

공작가 인간들이나
다른 귀족들이요.

이번엔 또 어떤 새끼인가요?

소공작? 두 번째 놈? 아니면 에카르트 공—

—이, 이클리스!

그런 거 아니야. 난 괜찮아, 아무 일도 없었어.

새가 예뻐서 구경하다가, 피곤해서 혼자 좀 서 있던 거야.

그래, 나는 괜찮아. 탈출구가 있는 이상 이런 것쯤 아무것도 아닌걸.

지금도 이렇게 웃고 있잖아.

…주인님은 지금, 행복하세요?

응?

공작저에 오기 전보다… 더 행복하세요?

설마⋯
내가 탈출하려는 걸
눈치챈 거야?

한 번도 내색한 적
없는 줄 알았는데,
하지만 감 좋은
이클리스라면⋯.

그게⋯
무슨 소리니, 이클리스.
내가 널 두고
어디로 사라지겠어.

그냥 조금
피곤한 것뿐이야.
그러니 너무 신경—

차라리 저랑 같이
이곳을 나가요.

저랑
도망가요,

주인님.

…이클리스,
너….

타국으로
망명할 예정인
노예들이 있어요.
항구를 통해 며칠 뒤
밀항한다고 해요.

그러니
그 일행 틈에
껴서….

204

차라리
제국 밖으로
같이 가요.

……

운끔

…너도
그럴 계획이었니?

날 속이고 너도
타국으로 가려고 했어?
지금까지 그러느라
늦었던 거야?

철렁

아, 아니에요,
주인님.

그런 거 아니에요.
그러려던 적 없어요.

그럼
왜 나한테
그런 말을 해?

주인님이
그걸 원하실 거라고
제가 마음대로 생각했어요.
죄송해요.

내가 그걸
원한다고?

…….

─'이클리스와
단둘이 도망가서,
남은 호감도를 올린 뒤
게임을 탈출한다'.

하드 모드에
이런 루트가 있을까?
나쁘진 않지만
현실적으론 무리가 있어.

당연히 공작가의
추적이 뒤따를 테고,
실패했을 땐
치명적이겠지.

그리고….

…주인님.

난 네 주인이기 전에
이 나라의 귀족이자
하나뿐인 공녀야.

─이클리스.

그런 말은 어디 가서
함부로 입에 올리면 안 돼.
설령 내 앞이더라도.

네 편의를
봐줄 수 있는 것도
내가 이 자리에
있기 때문이야.

선을
넘지 마.

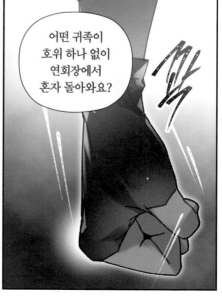

…자리요?

가족이란
사람들조차
주인님을 무시하는
이름뿐인 자리?

어떤 귀족이
호위 하나 없이
연회장에서
혼자 돌아와요?

…그리고 보니.

하드 모드가
끝나서
노멀 모드가
시작된다면…

페넬로페를 향한
공략 대상들의
기억이나 호감도는
어떻게 되는 거지?

현실에서
노멀 모드는 늘
처음부터
플레이했고,

하드 모드는 끝까지
깨 본 적이 없어서
두 모드 사이에 무슨 일이
벌어지는지 몰라.

손이 차요.

탈출한 다음 일이야
내 알 바
아니긴 하지만….

파짝

내겐 너뿐이야, 이클리스.

…저는 주인님이 무슨 생각을 하시는 건지 모르겠어요. 그렇지만…

주인님이 더는, 주인님을 괴롭히는 인간들 때문에 슬퍼하지 않으셨으면 좋겠어요.

그래, 공략 대상이 날 두고 떠날 리 없지.

난 괜찮다니까.

그 말씀이 진심이 되시도록 노력할게요.

◇ SYSTEM ◇

<이클리스>의 호감도를 확인하겠습니까?

◆ 14,000,000 골드 ◆   ◆ 200 명성 ◆

14,000,000 골드를 지불하여
<이클리스>의 호감도를 확인합니다.
남은 소지금 : 28,000,000 골드

99%…!
드디어!

…이클리스,
혹시 내게
더 할 말은―

진짜로
괜찮아지실 수 있게
해 드릴게요,
주인님.

…….

제가… 그렇게
해 드릴게요.

…아직 100%를 채우지 못해서 그래.

성인식 때까지 조금만 더 노력하면 남은 1%도, 고백의 말도 분명 들을 수 있을 거야.

다음 날, 공작은 몸이 아파 연회장을 일찍 떠났다는 내 변명을 의외로 순순히 납득했다.

페넬로페의
변덕이야
워낙 빈번한
일이어서인지,

못마땅한
잔소리만으로
그쳤다.

그래도 앞으로
말은 하고 가거라.

이제 성인식이
코앞인 녀석이 언제까지
그리 철없이 굴 테야.

그날 이후로
이클리스를 최대한
자주 찾았다.

하지만 선물이나
꿀 바른 말들, 손짓으로도
나머지 1%는 도통
오르지를 않았다.

오늘은
수업 땡땡이치고
같이 놀러 갈까?

네?
수업을요…?

깜빡

깜빡

…아하하,
농담이야.

수업보다
중요한 게
어딨겠니.

매일 있는
그의 검술 수업도
만남을 방해했다.

호감도를 위해
붙여 준 수업이었는데,
점점 거슬렸다.

노멀 모드에선
이런 고민을 할 필요도
없었는데.

게임 진행을
따라가기만 해도
알아서 100% 표시가
번쩍번쩍거리고,
고백 이벤트가 뜨고….

100%는 어떻게
만들어야 하지?

사랑한다는 고백은
어떻게 유도하면
되는 거야?

호감도 게이지의
색깔은…

어느 정도의
의미인 걸까.

지금까지
목숨과 직결되는
숫자에만 신경 쓰느라,
색은 크게 의식하지 않았어.

하지만
이클리스와의 엔딩이
코앞인 지금은….

남은 1%….
대체 어떡하면
올라가는 거야.

어느 미친놈처럼
입술이라도
들이밀어야 해?

아가씨,
펜넬입니다.

들어와.

혹시 그 검붉은 색이 뭐,
제국에 대한 복수심으로
피를 보고…
그런 뜻인 건 아니겠지?

아가씨.

공작님께서
내일 아침 가볍게
조찬을 같이하자
하십니다.

조찬?

예. 최근 귀족 회의가 길어져 석찬은 어려우신 듯합니다.

도련님들도 함께하실 예정입니다.

…알겠어. 시간이야 내가 맞춰야지. 아침 일찍 준비하겠다고 전해 드려.

알겠습니다. 그리고…

황궁에서 또 편지가 왔습니다, …아가씨.

연회 초대장?

아닙니다. 황태자궁의 시종이 직접 전달을…

불태워.

그리고 몸이 안 좋아 요양 중이라고 둘러대.

…예.
실례했습니다.

그런 건
앞으로 물을 것 없이
집사장이 좀
알아서 해 줘.

보수 공사 이후론
식당에 처음 오시죠,
아가씨.

오…

혹시라도
안 좋은 기억이
되살아나진 않을까
싶었는데,

그날
한바탕했던 때와는
완전 딴판이 됐네.

저 꽃들은….

디 앨런워
로즈다.

마음에 들면
꺾어서 화병을
만들어 두라
이르랴?

…설마.
그냥 공작도 저 꽃을
좋아하나 보지.

왔구나.

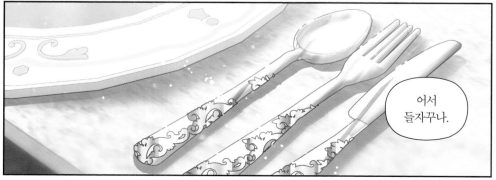

달그락

서걱

달그락

이제 며칠 후면 네 생일이로구나, 페넬로페.

움찔

네, 벌써 그렇게 됐네요.

성인식 준비는 잘 되어 가느냐.

제가 뭐 할 게 있나요. 펜넬과 하녀장이 고생이죠.

뭐, 있긴 하지. 매일같이 하녀들에게 머리부터 발끝까지 관리받는 거?

뭐 더 갖고 싶은 건 없고?

음… 딱히 없어요. 옷도 장신구도 충분하고요.

야, 튕기지 말고 준달 때 말해. 내 성인식 때 아버지한테 마법 요트 받은 거 보고 부러워 죽으려고 했잖아.

깐족

223

아, 그거

너 그거 강에 끌고 나가서 자랑하다가 제대로 못 몰아서 전복됐다며?

하녀들한테 주워들음

누, 누, 누가 그래?! 그건 사고였다고!!

크흠흠, 한심한 놈.

아버진 왜 웃으세요?! 아니라고요!

구시렁 구시렁

아, 진짜 아닌데…!

…그냥,

이른 아침, 인사하러 와 주실 수 있으세요?

인사?

네.

…철없던 어린 딸과의 작별 인사요.

그게 무슨 소리냐,
페넬로페.
작별 인사라니.

저도 이제
어엿한 성인이
되는 거잖아요.

서툴었던 과거는
전부 다 떠나보내고…
새로 시작했으면 하는
의미에서요.

네가 언제
이렇게….

그래.

내 꼭
아침에 인사를
하러 가마.

......

공작님,
잠시 현관으로
나와 보셔야
할 것 같습니다.

펜넬?
모처럼 가족 다 함께
식사 중이지 않나.
이따가 다시 얘기함세.

그것이…

…?
무슨 일이지?

…따라
나가 보는 게
좋겠다.

아씨,
밥 먹다가
뭐야….

설마,
편지 좀 무시했다고
칼리스토가 또
쳐들어오기라도 했나?

그 미친놈이라면
공작이 저리
떠쳐나갈 만도

야, 뭐 하냐?
우리도
가 보자고.

어,
으응….

별로 가고 싶지 않은데.
설마가 사람 잡으면
그놈 면상을 또
어떻게 보라고….

뚜벅

뚜벅

……이클리스?

네가
이 시간에,

여기 왜…

이 감각,

느껴 본 적
있어.

엄마가
돌아가시기
하루 전에도 이런

알 수 없는
기이함을….

저…

…아버지.

오라버니…들.

저……

이본이에요.

21장

진짜 공녀의 등장

왜?

왜?
아직 성인식이
아닌데.

아직 5일이나
남았는데.

내가 슬퍼하지
않았으면 좋겠다고
말했잖아.

내가 괜찮도록
해 주겠다며.
그런데 왜?

……

…레널드, 페넬로페.

너희 둘은 그만 방으로 돌아가 있거라.

아버지, 그건—!

그리고 너는.

…나를 잠시
따라오거라.

지금까지
외형을 속이고
찾아온 자들은
무수히 많았다.

네가 진짜
내 딸이 맞는다는 걸
증명하기 위해
몇 가지 시험을
거칠 것이다.

시험…이요?

만일
거짓임이 들통날 시
귀족 능멸죄로 사형에
처할 수도 있다.

그래도 날
따라오겠느냐.

데릭.

…예.

저놈은 지하에 가둬 놓거라. 어떻게 된 일인지 심문을 해야겠다.

이, 이클리스는 왜요?

저를 도와준 사람이에요. 제가 시험을 치를 테니 그러지 마세요.

그건 네 소관이 아니다. 저놈은 우리 가문 소속의 견습 기사니까.

외출 허가를 준 적이 없을 터인데, 이 애를 데려온 경위를 낱낱이 알아봐.

……

페넬로페!

…주인님.

…너.

SYSTEM

<이클리스>의 호감도를
확인하겠습니까?

18,000,000 골드

400 명

SYSTEM

골드가 부족합니다.
보유 골드 : 12,000,000 골드

SYSTEM

명성이 부족합니다.
보유 명성 : 360

알고 있어.

그동안 올라가지도 않는
놈의 호감도를 확인하려고
돈도, 명성도
쏟아 부었으니까.

이제 곧
에메랄드 광산의
수익이 날 예정이니
괜찮을 줄 알았어.

그 멍청한 판단이
이렇게 돌아올 줄
알았더라면─

너…
…왜?

왜 진짜 공녀를
데려왔어?

왜 나를
배신했어?

……

왜?

저는 비록
패전국의 노예이지만,
에카르트 가문에
은혜를 입은 몸입니다.

가문에서 잃어버린
공녀님을 애타게 찾으시는 걸
알고 있어서 차마
외면할 수 없었습니다.

하, 하…

…지랄 마,
이 미친 새끼야.

……

…아가씨,
그만 가시지요.

뚜벅

뚜벅

나가.

저,
하지만…

내 말
안 들려? 생각할
게 있으니까
나가라고!

네, 네!

밖에서
대기하고 있을 테니
언제든 부르세요,
아, 아셨죠?

에밀리도
소식을 들었겠지.

눈치가 좋은 애니까,
돌아온 '진짜 공녀'에게
줄을 대고자
내 전담 하녀를 관두겠다고
할지도 몰라.

하⋯.

머리만 아파하지 말고, 생각해. 이대로 죽을 순 없잖아.

무슨 이유인진 모르겠지만, 내가 몰빵한 공략 대상이 날 배신하고 이본을 데려왔어.

겨우 1%야. 진짜가 나타났든 뭐가 됐든,

100%만 찍고 사랑한다는 고백만 듣는다면 아직 탈출할 기회는 있어.

다행인 건 원래 노멀 모드가 시작되는 성인식까지는 아직 시간이 있다는 것.

그 자식을 만나야 해.

째깍

째깍

째깍

똑똑

페넬로페 아가씨,
펜넬입니다.
전달드릴 말씀이
있습니다.

들어와.

아가씨, 방금 전
흰 토끼 상단을 통해
첫 수익금이 저택으로
전달되었습니다.

돈이 입금됐다고?

예. 경매에서 첫 번째로 내놓은 에메랄드 상품의 값입니다.

됐어. 개같은 상황 중에 그나마 희소식이야.

그놈의 호감도를 확인한 뒤에 구슬리든, 억지로 강요라도 하든 고백의 말만 들어 낸다면—

이클리스는? 당장 좀 보러 가야겠어.

아가씨, 잠시만.

소개해 드릴 자들이 있습니다.

뭐? 누굴?

들어오게들.

아가씨의 호위를 새로이 맡을 필립 경과 에드 경입니다.

안녕하십니까, 공녀님. 처음 뵙겠습니다.

잘 부탁드립니다, 공녀님.

두 사람은 공작님의 직속 호위 부대 소속으로, 검술이 매우 뛰어난 이들…

집사장.

지금 뭐 하는 짓이야?

…공작님께서 이클리스를 포함하여

당분간 아가씨와 가문 밖 외부인의 접촉을 금하길 명하셨습니다.

…뭐? 내가… 왜?

그의 심문이 끝날 때까지 아가씨를 안전하게 보호하기 위해서입니다.

보호?

…감금과 감시가 아니라?

아가씨…

소공작님께서 직접 기사들을 데리고 이클리스가 검술을 수련하던 마을로 향하셨습니다.

오늘 오신 이본… 아니,

손님이 며칠 전 그곳에서 나타난 마물로 인해 크게 다쳤었다는군요.

그런 것이 절대로 아닙니다. 공작님께서 그러실 리 없잖습니까.

그럼 왜 내가 내 호위 기사도 만날 수 없고, 그마저도 갈아 치워야 하는지 납득시켜 봐.

…자네들은 그만 나가 있게.

근방에서 노역하던 델만 출신 노예들이 다친 손님을 돌봐 주었다고 합니다.

잠깐 사고가 있었어요.

갑자기 나타난 대형 마물이 동향인들을 공격했어요. 사람들이 많이 다쳤고….

왜 난데없이 마물이 나타났다는 말을 더 신중하게 생각하지 않았을까.

솔레일 섬에서 봤던 마물들, 그리고—

그날 만났구나.

…한데 소공작님께서 직접 가신 이유는 따로 있습니다, 아가씨.

그곳의 델만인들이 도주를 작당하고 있다고 합니다.

…!

타국으로 망명할 예정인 노예들이 있어요. 항구를 통해 며칠 뒤 밀항한다고 해요.

그리하여 소공작님께서 진의 확인과 긴급 체포를 위해…

잠깐.

누가 그래? 그 여자애가 그딴 얘기까지 지껄여?

아닙니다.

이는 모두 심문 도중 이클리스의 입에서 나온 진술들입니다, 아가씨.

뭐, 뭐라고…?!

아가씨께서 이클리스를 통해 건네주신 약초가 그들의 도주 밑천이 되었다고 합니다.

그는 고국 사람들이 마물에게 피해를 입은 것이 안타까워 아낌없이 도움을 주었으나,

아가씨의 배려가 이용당하는 것을 알고 홀로 고뇌하며 그들을 만류해 왔다더군요.

그러다 손님을 만나, 공작가에 입은 은혜를 갚기로 마음을 먹었다고….

하.

미친놈.

그토록 걱정하는 척하던 동향 사람들을 이렇게 팔아먹어?

얼마 전까지만 해도 그 사람들 따라서 도망을 가자던 놈이?

내가 따라가기 싫다고 답해서야.

처음부터 그런 놈이었어. 속내를 감추고 충성스런 개를 흉내내던.

놈은 계속해서 재고 따지고, 그리고 선택한 거야.

동향인들을
제물로 삼고
진짜 공녀를 끌고 와

자기 손으로
신분 상승의 기회를
거머쥐기로.

심지어 노예들과
한통속이란
의심을 피하기 위해,
나까지 교묘하게 엮어서─

…아버지의
시험은.

아직 진행 중입니다.
소공작님이 돌아오시면,
심문과 함께
속행할 예정입니다.

그럼 그때까지
나는 아버지도,
이클리스도 볼 수
없다는 거네?

됐어.
알았으니
나가 봐.

…예.
필요하시면
언제든 부르십시오,
아가씨.

진짜 딸이 시험을
통과하고 나면
저런 예의도
얼마나 갈까.

—개자식…

침착하자.
이깟 일로
이성을 잃을 순 없어.

살아남기 위해서는
계속 생각해야 돼.

당장 할 수 있는 게
아무것도 없어도,

죽을 것처럼

숨이 막혀도.

다음날 아침

공녀님,
어디에 가시는
겁니까?

내 집에서 내가 마음대로 돌아다니지도 못해? 비켜.

안전을 위해 가시려는 곳을 밝히셔야 합니다.

하지만 공작님께서—

여기서 한 발짝이라도 움직이면 네놈들이 날 모욕하고 학대했다고 비명을 지르겠어.

아버지가 요즘 그런 사안에 얼마나 엄중하신지 알고 있지?

후원으로 산책 갈 거야. 따라오지 마.

내 호위를 하랬지 감시하라 명하신 게 아니라면서?

유난 떨지 마. 금방 돌아올 테니.

가뜩이나
온종일 쫄쫄 굶고
뜬눈으로 밤까지 새워서
지치는데, 성질 나게.

그래도 방에만
처박혀 있다 나오니까
기분이 낫긴 하네.

이클리스는
지하에 가둬 놨댔지.
저택 본관에도
지하는 있지만,

어쨌든 명목상
가문 소속 견습 기사이니
기사단 지하 영창에
있을 확률이 커.

어차피 바로
만날 수 있으리라곤
기대도 안 하지만,

누워만 있다가는
내가 미쳐서 죽는 게
빠를 것 같아.

저벅

저벅

어…

아,

안녕하세요…
공녀님.

'공녀님'?
별…

……

…공녀님?

…빌어먹을.

안녕.

아…

인사를…
받아 주신
거예요?

이클리스를
만나고 오는
길이니?

아… 네.

아직 네 시험은
다 끝나지 않았다고
들었는데.

공작님께
부탁…드렸어요.
이클리스는 저 때문에
갇힌 거니까,
너무 마음이 쓰여서…

나는 못 만나게
막아 두고
이 애만?

하녀도 없이
혼자?

오는 길은
레이나 하녀장님이
데려다주셨어요.

하지만 안 그래도
바쁘실 테니,
저 혼자 산책이라도
할까 해서…

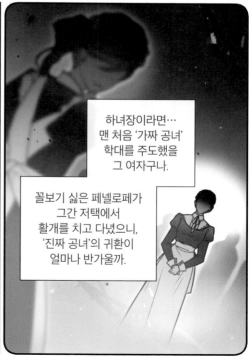

하녀장이라면…
맨 처음 '가짜 공녀'
학대를 주도했을
그 여자구나.

꼴보기 싫은 페넬로페가
그간 저택에서
활개를 치고 다녔으니,
'진짜 공녀'의 귀환이
얼마나 반가울까.

오는 게 아니었는데, 이클리스가 한 번만 같이 와 달라고 너무 간절히 얘기해서….

죄…죄송해요, 공녀님.

제가 갑자기 나타나서… 많이 놀라셨죠.

본의 아니게 제가 공녀님께 상처를 드린 것 같았어요. 정, 정말 죄송—

이봐.

이본이라고 했니?

어, 어렸을 적에
기억을 잃었어요!

최근에야 어렴풋이
기억을 되찾고,
이클리스 덕분에 용기 내서
와 본 거예요.

제가
착각한 거라면,
친딸이 아니라면
벌도 달게 받을 거예요.
정말이에요!

정말로
저는─!

앗…!

피부가
얼음장 같아.
마치,

죽은
시체처럼―

가…
감사해요,
공녀님.

무,
무슨…?

네가 진짜
잃어버린 이 집 막내딸이든,
아니면 다른 속내가
있어서 들어왔든
내 알 바 아니야.

……

…잘 들어,
이본.

함께 있는 동안
넌 너대로, 난 나대로.
그렇게 지내자고.

공녀님….

하지만…
만약 제가 정말
공작님의 잃어버린 딸이
맞다면,

공녀님과 전
가족이잖아요.
어떻게 그럴 수—

가족?
난 네 가족
될 일 없어.

그러니까 너도
그런 줄 알아.
어차피 곧 볼일
없어질 사이라고.

그리고 아까 못 들었니? 뺨 맞을 수도 있다는 얘기.

내 몸에,

다시는 그 손으로—

듣자 듣자 하니 못 봐주겠네.

!

너 진짜…
지금 뭐 하는
짓이냐?

내가 뭘?

'내가 뭘'?
솔직히 말해.

몇 대나
치려고 했냐?

아무리 아직
평민 신분이라도
그렇지,

진짠지 가짠지
판가름도 안 난 애를
벌써부터 쥐 잡듯이
잡기나 하고.

이러니까 네가
에카르트에서
제대로 된 취급을
못 받았던 거라고.

나는 왜
지금쯤 무언가
변했을지 모른다고
생각한 걸까.

그렇게 당해 놓고,
바보처럼….

하….

이본,
네가 대답해 봐.
내가 널 쥐 잡듯이
잡았니?

네?
어… 그게….

야.
그렇게 물으면
걔가 뭐도—

아, 아니에요,
공자님!

오…오해예요.
제, 제가 공녀님을
붙잡으려다가,

돌부리에 걸려
넘어질 뻔한 바람에
공녀님이…
잡아 주셨을 뿐이에요.

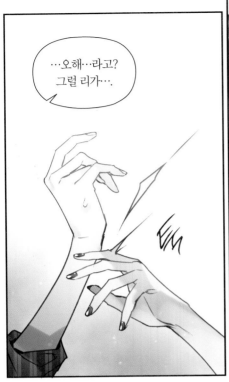

…오해…라고?
그럴 리가….

레널드 넌…
결국 예전하고
조금도 달라진 게
없구나.

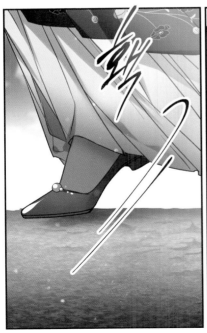

야.

이제 됐어.

이본 입으로
이클리스가 어디에
갇혀 있는지도 확신했고,
이만 돌아가서
잠이나 잘래.

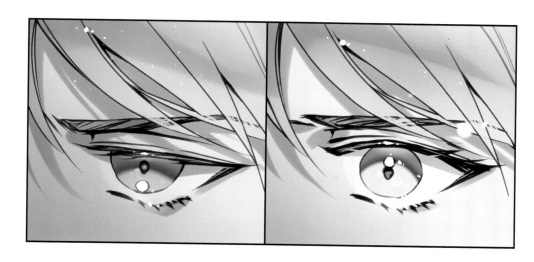

…어?

—페,

페넬로페—!

페넬, 허억,
페, 페넬로페….

비켜.

네 동생이나
달래 줄 것이지
왜 따라오고 난리야.

미…미안,
오해해서.

그게,
방금 전엔, 나도
내가 어떻게
된 건지….

사과하지 마.

네 사과 따위
받기 싫으니까.

뭐…?

너 정말 몰라?
내가 왜 이 집구석에서
그놈의 제대로 된
취급 못 받고

전담 하녀한테까지
그딴 대접받으며
살았는지?

너 때문이잖아,
레널드 에카르트.

……! 페, 페넬로페.

음찟

당분간 나 봐도 말 걸지 마.

내게 진짜로 미안하면 그렇게 해 줘.

부탁이야, 오라버니.

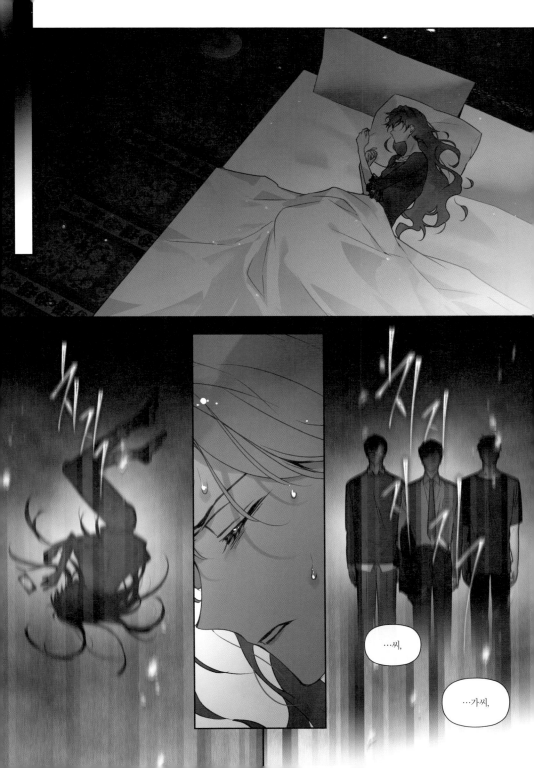

…씨,

…가씨,

뭐야,
왜 안 나가?

저…
아가씨.

그 여자가…
결국 저택에 머물게
되었대요.

……!

기억을 잃어서인지
시험에 전부 통과하진
못했나 봐요.

그래서 당분간은
저택에 머물며
지켜보기로 했대요.

…그러니.

하, 하지만
이런 작자들이야
워낙 여러 명
있었으니까.

이번에도
가짜일 게 분명해요,
아가씨.

'가짜 공녀'에게 가짜 얘길 하고 있다니.

됐어. 그런 상투적인 소리 안 해도 돼.

……

…할 말이 있는 것 같은데, 해. 에밀리.

이제 에밀리도 보내 줄 때가 됐구나.

안 그래도 하녀장 명령을 받는 처지니까.

첫 만남은 썩 맘에 들지 않았어도, 그동안 에밀리 덕분에 정말 편했는데.

모르는 새에 정도 든 것 같고.

그래서 어제 방에서 내쫓듯이 내보낸 거야. 혹시라도 관두겠다는 말을 듣고 싶지 않아서.

하지만 별수 없지,
난 어차피
떠날 사람인걸….

제가…

그 여자의
일거수일투족을…
아가씨께 모두
전달해 드릴게요.

……뭐?

그 여자의
임시 하녀로 배치된 애가
저와 같은 고향
출신이에요.

베키라는 앤데,
어릴 적 화재로 가족을 잃고
1년간 저희 집에
얹혀산 적이 있어요.

원래 그 애처럼
친인척 없는 고아는
귀족이 하녀로
잘 받아 주지 않아요.

혹시 모를
사고가 났을 때
신원을 보장해 줄
사람이 없으니까요.

......

하지만 제 부모님이
그 애를 불쌍히 보셨는지
제가 공작저에 지원할 때
같이 보증서를 써 주셨어요.

그다지 친한 건
아니지만,

보증서를 들먹거리면
순순히 말을
들을 거예요.

…너…
진심으로
하는 말이야?

네에?
당연하죠,
아가씨!

그 여자가
저택에 머무는 동안
아가씨 자릴 뺏으려고
사달이라도 내면
어떡해요?

우리도
미리미리
대비를 해야…!

불끈

파삭

아가씨!
지금 그렇게
웃으실 때가
아니라고요!

미안, 미안.

너무
심각해 보여서

네가 하는 얘기가
너무 전형적인
악당들 같잖니.

히잉

저는 진지하다고요!
오죽 고민했으면
이러겠어요….

알았어.
생각해 줘서
고맙구나.

쫑긋

그럼,
말씀드린 대로
해도 되는 거죠?

네! 알겠어요.
맡겨만 주세요,
아가씨!

후후.

…아가씨.
그럼 이제…

저녁
드시는 거죠?

그래도
이곳에는

내가 굶으면
챙겨 주는
사람이 있어.

……에밀리.

네?

왜 그때…
내 진짜 하녀가
되고 싶다고
말했던 거니?

그건…

마…말씀드려도
웃지 않으실 거죠?

뭔데 그래.

아가씨에게…

어떻게든
인정받고 싶었어요.

응?

아가씨가
처음이었거든요.

다른 누군가가
절 알아주는 거.

298

원래부터
남들 눈에
좋게 보인 적이
없었어요.

공작저에서도,
성격이 모나다고
하녀장님에게
밉보여서

다른 애들이
꺼려 하는
궂은 일들은 모두
제 차지였어요.

제 사정이나
고충 같은 건
아무도 생각해 주지
않았어요.

그런데 아가씨를 진짜로 모시기 시작하고서야 알게 됐어요.

그렇게나 가까이에 있었으면서

저도 아가씨에 대해 아는 게 아무것도 없었다는 걸요.

아가씨가 황궁에서 쓰러지신 날 복에 대고 계시던 손수건이에요.

혹시 몰라 세탁해 두었어요.

아, 이거.

고마워, 에밀리. 신경 썼구나.

네? 고마...

왜?

—아.

아뇨!

대단한 이유는
없었어요.

그냥 아가씨를
따르는 것만큼
좋은 기회는 두 번 다시
안 오겠다 싶었어요.

저 눈치 좋은 거
아시잖아요.

제가 잡은
줄이라면,
틀림없이 제일
좋은 줄이에요.

씨익

…배고프구나.
저녁 갖다줄래?

감동

아가씨…!
그럼요,
금방 올 테니,
조금만 기다리세요!

드디어
우리 아가씨가
밥을

만약에,
내가 현실 세상으로
돌아간 이후 혹시라도
진짜 페넬로페가
이 세상에 돌아온다면,
그나마 안심이야.

…에밀리.

너…
잘하고 있어,
제법.

네!

이제는 그 애가
배고프지 않게

살펴줄 사람이
있어서.

이 일을 황궁에서 먼저 알고 수사했다면,

너는 물론 에카르트 가문까지 연루될 뻔한 걸 알고 있느냐.

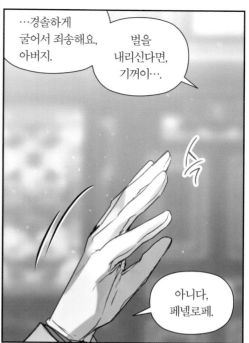

…경솔하게 굴어서 죄송해요, 아버지.

벌을 내리신다면, 기꺼이….

아니다, 페넬로페.

펜넬에게 경위는 모두 들었다.

네게 나쁜 뜻이 있었던 게 아니잖느냐. 다 마음이 여려서 그랬던 게지.

요 근래 네가 놀랄 만한 일들만 연달아 일어났으니

오늘은 네 걱정이 되어 부른 것이야.

…뭐?

오랫동안
찾아왔던 친딸을
드디어 찾으신
거잖아요.

축하드려요,
아버지.

…페넬로페.

그 아이가
이곳에 머물러도…
괜찮겠느냐?

그럼요.
제 의사가 중요한
일이 아닌걸요.

……네가 싫다면, 다른 곳으로 보내마.

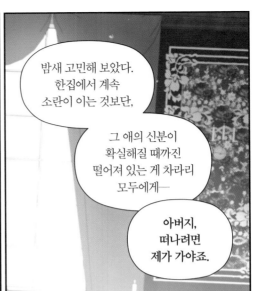

밤새 고민해 보았다. 한집에서 계속 소란이 이는 것보단,

그 애의 신분이 확실해질 때까진 떨어져 있는 게 차라리 모두에게—

아버지, 떠나려면 제가 가야죠.

그리고 그 애가 아버지의 친딸이 확실해도, 전 소란 일으킬 생각 같은 거 없어요.

그러니 제가 그 애를 해코지할까 걱정은 마세요.

!

그런 뜻이 아니다, 페넬로페.

제게 집 안에서도 호위를 붙여 두신 이유가 있었을 거잖아요?

멈칫

애야, 그건…!

…….

…….

걱정 마세요, 아버지.

지금껏 베풀어 주신 은혜만으로도 충분히 감사해요.

그렇지만 제가 가진 몇 없는 것들을 빼앗아 그 애에게 쥐여 주려 하지는 마세요.

그게 무슨 소리냐?

이클리스를 제게 돌려주세요, 아버지.

!

이클리스는 제가 데리고 온 제 호위 기사예요.

심문이 끝났다면 이제 그만 만나게 해 주세요.

내게 당장 중요한 건
이본의 등장도,
공작의 태도도 아니야.

이런 거지 같은
상황이 되었어도,
여전히 그 자식이
내 99%짜리 탈출구니까.

페넬로페…

이 아비는…
그놈이 도통 마음에
들지 않는구나.

데릭이
노예들에게서
이상한 얘기를
들었다 한다.

이상한
얘기라니요?

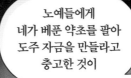

노예들에게
네가 베푼 약초를 팔아
도주 자금을 만들라고
충고한 것이

바로 이클리스
그놈이었다더구나.

네?

그냥 밀고만 한 게… 아니었어?!

도…동향인들의 노동 환경이 열악하다며 제게 하소연을 했었어요.

단순히 생활에 보태라는 뜻 아니었을까요?

그 농장은 적게나마 삯도 나오는 곳이라고 들었는데 이상한 일이로구나.

……

하지만 네 말이 맞겠지. 도주하려다 체포되면 처형이 확실하거늘,

굳이 그런 식으로 부추겼겠느냐. 아무리 그래도 고향 사람들인데….

어쨌든 놈은 표면적으로는 불순분자들을 밀고하여 상당한 공을 세웠다.

애타게 찾던
내 막내딸까지
데리고 와서,
이 에카르트 가문에도
큰 빚을 지웠지.

하여 데릭을 시켜
놈에게 보상으로
무얼 원하는지 물었다.

…이클리스가
뭐라 답하던가요?

노예 신분의 면천?
아니면 작위?

이상하게도…
그런 얘기는
없었다.

그저 검술을
더 배우고 싶으니

이 공작저에서
내보내지만 말아 달라
청했다더구나.

312

악역의
엔딩은
죽음뿐

다음 권에서 계속!

"오직 당신만이
내 목줄을 틀어쥘 수 있어요."

낡아 빠진 감옥에서
드디어 마주한 이클리스.

그의 눈을 마주하자 페넬로페는
'진짜 공녀'를 데려온 것에 대한 배신감에
원망이 잔뜩 섞인 목소리로 따져 묻는다.

그리고 들려온 이클리스의 대답에
페넬로페는 충격을 받게 되는데…!

8권을 기대해 주세요!

ⓒ 수월, 권겨을 2020 / D&C MEDIA

초판인쇄 2024년 7월 30일

만화 수월
원작 권겨을

펴낸이 최원영
편집팀장 장혜경
책임편집 구유희
표지디자인 최은아
본문디자인 (주)디자인프린웍스
타이틀 디자인 크리에이티브그룹 디헌

국제업무 박진해 조은지 김수지 국경님 유자영 박이서 남궁명일
온라인 마케팅 박선혜 한혜지 박서희
관리·영업 김민원 조은걸
물류 이순우 최준혁 박찬수

펴낸곳 (주)디앤씨미디어
출판등록 2002년 4월 25일 제20-206호
주소 서울시 구로구 디지털로32길 30 코오롱디지털타워빌란트 1301-1308호 (08390)
대표전화 02-333-2513   **팩스** 02-333-2514
이메일 webtoon_book@dncmedia.co.kr
블로그 blog.naver.com/dncent

ISBN 979-11-93821-33-6 07810
        979-11-93549-79-7 (SET)

※ 잘못된 책은 구매처에서 교환해 드립니다.